PHILIPPE EBLY

*LOS CONQUISTADORES
DE LO IMPOSIBLE*

El robot
que vivía
su vida

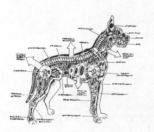

Colección
Punto **Juvenil**

Edita desde 1866
Magisterio

De este libro existe una FICHA PEDAGO-
GICA, concebida como un instrumento útil de
trabajo. En ella se facilita la motivación a la
lectura y se sugieren múltiples posibilidades de
utilización del libro.

Tercera edición

Título original: «Le robot qui vivait sa vie»
Autor: Philippe Ebly
Traducción: Joaquín Esteban Perruca
Ilustraciones: Juan Agustín Acosta
Cubierta: Francisco Solé
Coordinación editorial: José Luis Varea
Copyright © 1978 by Hachette
Copyright © 1988 by Editorial Magisterio Español, S.A.
Tutor, 27. 28008 Madrid.
I.S.B.N.: 84-265-7393-2
Depósito legal: M. 24.243-1989
Printed in Spain
Imprime: Anzos, S. A. - Fuenlabrada (Madrid)

I

E stamos en el Vercors, a comienzos de julio, en un pequeño restaurante próximo a la carretera de montaña que parte de Saint-Jean-en Royans, atraviesa el bosque de Lente, bordea el Valle Laval y termina en Vassieux-en-Vercors. El restaurante se encuentra a la entrada del bosque, cerca del cruce de Auterets. Es agradable y se come bien y barato. Como hacía buen tiempo, unos cuantos turistas estaban almorzando fuera, en la terraza. Tres jóvenes de dieciséis o diecisiete años ocupaban una de las mesas y acababan de encargar la comida. Cerca de ellos, en otra mesa, un señor de unos cuarenta años, de aire intelectual, con la frente despejada y canas en las sienes, había terminado de comer. Le acababan de servir un café,

3

que ya había apurado, pero no parecía tener intención de irse. No dejaba de mirar a los tres muchachos y estaba atento a su conversación.

Estuvo observándolos discretamente hasta que terminaron de comer; luego se levantó, como si se dispusiera a irse, pero antes se acercó a ellos.

—Me gustaría cambiar impresiones con vosotros —dijo—. ¿Me concedéis unos minutos?... A no ser que tengáis prisa.

—No, no tenemos prisa —respondió uno de los muchachos.

El señor sabía —porque lo había oído— que el chico que le había contestado se llamaba Teo. Tenía el pelo y los ojos negros, muy grandes, y el aire decidido. Se veía que era fuerte, robusto, y seguro de sí mismo.

El caballero se sentó en una silla vacía y preguntó:

—¿Conocéis el bosque de Lente?

—No muy bien...

—Lo siento, porque quería pediros que me hicierais un favor. Siempre que conocierais bien el bosque, claro... Lo suficiente como para no perderos.

Entonces intervino otro de los tres jóvenes, Sergio. Era un poco más delgado que Teo y muy rubio. Se notaba enseguida que era sumamente servicial.

—No importa. Tenemos un mapa de la región y sabemos orientarnos, así que no nos perderemos. Pero queremos saber de qué se trata. ¿Qué tendremos que hacer?

—Se trata de mi perro —respondió el caballero—. Se ha perdido en el bosque y no puedo ir a buscarle. Si vosotros me hicierais ese favor, os lo agradecería muchísimo.

—¿De que raza es el perro?

—Vais a verlo.

Sacó una foto de la cartera y la puso sobre la mesa. Era una fotografía en color en la que se veía un perrazo negro junto a un chico de unos quince años, que lo sujetaba con una correa.

—¡Espléndido animal! —exclamó Teo—. Es un dogo, ¿no?

—Sí —respondió el caballero—. Se llama Kwik y le aprecio mucho.

Dejó pasar unos segundos y luego preguntó:

—¿Qué? ¿Aceptáis?

—Desde luego. Así podremos conocer mejor el bosque de Lente.

—¿No os molesta?

—En absoluto. Y cuando encontremos a su perro, ¿qué hacemos con él?

—¡Ah, es verdad! Esperad un momento...

La pregunta parecía haberle desconcertado. Mientras el caballero reflexionaba, el tercer muchacho había cogido la foto para verla de cerca. Se llamaba Xolotl (*) y era un indio de pura raza, con los pómulos salientes, grandes ojos negros y una expresión indescifrable.

—Es un poco complicado —dijo el caballero por fin—. Cuando encontréis a Kwik seguramente estará muerto... Quizá lo esté ya.

—¿Y qué hacemos?

—Si está muerto no le toquéis. Ni con un solo dedo. Es muy importante...

A Teo eso le mosqueó. Quiso hacer una pregunta, pero el caballero prosiguió hablando.

—Puedo deciros el lugar aproximado en que se encuentra. Enseñadme el mapa.

_____

(*) Sergio y Xolotl se habían conocido en Méjico, durante un largo viaje de aventuras. Al final del mismo, Xolotl, huérfano y solo en la vida, es adoptado por el padre de Sergio. Teo se les unió un poco más tarde. Nació en 1183; a los 16 años se cayó en un lago natural de nitrógeno líquido. Durante casi ochocientos años, permaneció en este lago, inconsciente y paralizado por el frío, pero vivo. Se le encontró hace unos meses y hoy vive como un adolescente de nuestra época, pero con ciertos poderes especiales.

Sergio desplegó un mapa de la región. El caballero lo miró y enseguida señaló un punto, sin la menor vacilación.

—¿Veis ese camino forestal que va desde Auterets a la cima del Mas?

—Sí.

—Pues debe estar por ahí, cerca del camino, a la altura del paso de Carré.

Sergio estuvo a punto de decirle a aquel señor que, si sabía dónde se encontraba, por qué no iba él mismo a buscarle, pero no se atrevió. Además, el perro podía estar oculto entre los matorrales y, a lo mejor, no era tan fácil dar con él. Así que se limitó a preguntar qué tenían que hacer cuando lo encontrasen.

El caballero garrapateó un número en una hoja de bloc y dijo:

—Llamaréis por teléfono a este número y preguntaréis por el profesor Mouret. Le diréis que habéis encontrado a Kwik. Nada más.

—Está bien —repuso Sergio.

Recogió la hoja del bloc y se presentó a sí mismo y a sus amigos. El profesor le escuchó con aire ausente, como si estuviera pensando en otra cosa.

—Encantado —dijo a media voz—. Y gracias por vuestra ayuda. Pero quiero deciros algo..

—¿El qué? —preguntó Sergio.

—Que no habléis a nadie del perro, por favor...

* * *

Tuvieron que batir toda la región del paso de Carré para encontrar a Kwik. Cuando, a eso de las siete de la tarde, ya estaban dispuestos a darse por vencidos, Xolotl vio una mancha oscura medio escondida por un matorral, a unos cincuenta pasos del camino. Se acercó y apartó las hojas con precaución.

—Está muerto —dijo sin vacilar—. Se ha debido ocultar al sentir que se moría, como todos.

—¿Es que los perros saben cuándo se van a morir?

—No exactamente. Se dan cuenta de que sus fuerzas se debilitan y se esconden para que otros perros no les ataquen...

Era un perro magnífico, de cuerpo esbelto y robusto, con un pelo sedoso y negro. Estaba acostado de lado, con los ojos cerrados, en una actitud tan pacífica que parecía dormido.

—¡Qué pena! —exclamó Teo—. Era un espléndido animal...

Hizo una pausa y añadió:

—Bien, habrá que avisar al profesor. ¿Quién quiere ir a telefonear?...

Xolotl no se movió. Ni siquiera se dignó volver la cabeza, como si no le hubiera oído.

—Iré yo —repuso Sergio, resignado.

Teo se dio cuenta de que le apetecía.

—No, no te molestes. Iré yo.

—¿No te importa?

—No, no. Prefiero andar que quedarme aquí como un pasmarote. Telefonearé al profesor y esperaré allí para mostrarle el camino. ¿Vale?

—De acuerdo. Te esperamos aquí.

Teo se alejó. En cuanto se quedaron solos,

Sergio y Xolotl se sentaron en la hierba, junto a Kwik.

—¡Qué extraño es todo esto! —murmuró Xolotl.

—Sí. ¿Por qué sabía el profesor que el perro estaría muerto cuando le encontráramos? ¿Por qué no quiere que se lo digamos a nadie? ¿Tendría Kwik alguna enfermedad contagiosa?

—Es posible.

—Por eso no quiere que le toquemos...

Xolotl arrancó unas briznas de hierba y empezó a trenzarlas, para entretenerse.

—Es curioso —musitó al cabo de un rato—. Nos ha mostrado el punto exacto en el mapa, sin vacilar. ¿Cómo podía conocer el sitio en que iba a morir?

Torció la cabeza y se quedó mirando fijamente a Kwik.

—Dime, Sergio —murmuró—, ¿crees que hace mucho rato que ha muerto?

—Unas seis o siete horas, calculo. Seguramente antes del mediodía. Recuerda lo que nos dijo el profesor.

—Sí, lo recuerdo —dijo Xolotl—. Lo que me extraña es que no se vean moscas alrededor. Ni una.

Sergio se incorporó y se acercó a Kwik para verle mejor. Xolotl le siguió. De pronto, se inclinó hacia el suelo y buscó una zona de tierra húmeda en la que se veían las huellas de las patas del animal.

—Mira esas huellas, Sergio. Date cuenta de lo profundas que son. ¿No te extraña?

—No. Debe ser por la blandura de la tierra.

—Ni hablar. Fíjate bien.

Xolotl dio un paso y dejó caer todo el peso de su cuerpo sobre los dos pies. Luego se retiró.

—Mira: mis pisadas son menos profundas que las patas del animal.

—Bueno, ¿y qué?

—Pues que Kwik pesa más que yo.

—Eso es absurdo.

—Lo será, pero es la realidad.

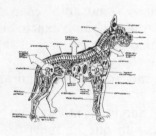

II

*U*na hora más tarde, entre el canto de los pájaros en el crepúsculo, se oyó el ruido de un motor. Era un modelo familiar, conducido por el profesor Mouret, que subía por el camino forestal. Se paró al llegar junto a los muchachos y echó marcha atrás para colocarse cerca del matorral en que yacía Kwik. Mientras el profesor quitaba el contacto, Teo, acompañado de un chico de unos quince o dieciséis años, salió por la parte de atrás. Sergio le reconoció enseguida. «Es el chico que estaba en la foto con el perro», pensó.

—Me llamo Denis Marcillac —se presentó.

Inmediatamente, fue hacia el perro, le observó y le empujó suavemente con el pie.

—Sí, está muerto —musitó—. ¿Nos lo vamos a llevar, profesor?

La muerte de Kwik no parecía impresionarle

mucho, pues lo dijo sonriendo. Tampoco el profesor parecía demasiado afectado.

—¡Claro! —respondió—. Pero no olvides ponerte los guantes.

—¡Ah, sí!

Fue hacia el coche, abrió la puerta posterior, sacó unos guantes de goma y se los puso, después de ofrecer otro par semejante al profesor. Acto seguido se inclinó para recoger a Kwik y esperó a que el profesor hiciera lo mismo.

Sergio se dio cuenta de que, al alzarlo del suelo, tuvieron que hacer un serio esfuerzo. «Tenía razón Xolotl», pensó. «Debe pesar una barbaridad...».

Cuando lo hubieron introducido en el coche, el profesor sonrió satisfecho.

—Me alegra que lo encontraseis tan pronto —dijo, mientras se quitaba los guantes.

Luego, su rostro cambió de expresión y frunció el ceño, como si algo le preocupase.

—Tal vez me equivoque —dijo mirando fijamente a Sergio—, pero sin duda pareces... ¿Cómo me dijiste antes que te llamabas?

—Sergio. Sergio Daspremont.

—Es que... ¿sabes? Cuando fui alumno de la Escuela Politécnica, hace ya muchos años, uno de mis mejores amigos se llamaba Jacques Daspremont, y...

—Es mi padre —respondió Sergio enseguida.

El rostro del profesor se iluminó.

—¡Qué feliz coincidencia! —exclamó—. Esto lo cambia todo... Siendo el hijo de uno de mis mejores amigos, me gustaría que me acompañaras, junto con tus compañeros, claro... Tengo cosas interesantes que mostraros. A no ser que tuvierais algún plan...

—Ninguno, profesor.

—Entonces, venid con nosotros.

El profesor se puso al volante y Denis insistió en que Sergio se sentara a su lado, delante. Xolotl y Teo se sentaron detrás y Denis se les unió después de haber cerrado la portezuela posterior.

En cuanto se pusieron en marcha, el profesor empezó a hablar con Sergio a media voz. Denis se quitó calmosamente sus guantes de goma y los dejó caer en la parte de atrás; luego se volvió y alzó un párpado del perro, para mirarle el ojo.

—¿No necesitas los guantes? —le preguntó Xolotl.

—No.

—¿Es que ya no hay peligro de contaminación?

—¡Ni hablar! —exclamó Denis, echándose a reír.

—No parece que sientas mucho que el perro haya muerto... —observó Teo.

—Es que no está muerto, en realidad...

Denis tenía el pelo castaño, los ojos verdes y una expresión muy viva. Parecía simpático —a primera vista—, pero tenía una voz extraña, bastante ronca, y su tono era burlón.

—No entiendo nada —repuso Teo—. ¿Está muerto, sí o no?

—Tranquilo, tranquilo —susurró Denis,

sonriendo—. A su debido tiempo lo sabrás. Creo que, como el profesor es amigo del padre de tu amigo, os lo explicará.

—¿Tú crees? —dijo Xolotl, incrédulo.

—Sí. Ya lo verás.

Y Denis se puso a acariciar a Kwik con toda naturalidad.

* * *

El profesor Mouret vivía cerca de Grenoble, al pie de Mont-Saint-Eynard, por lo que, abandonando la carretera de Chambery, metió el coche en una carretera lateral hasta llegar a un chalé rodeado de un amplio jardín protegido por un alto muro de piedra al que se accedía por un portalón con una cancela de hierro. La casa, muy grande, de dos pisos, tendría seguramente quince o veinte habitaciones.

—Vamos a llevar a Kwik al laboratorio —dijo el profesor, nada más bajarse del coche.

—Está bien, profesor —repuso Denis.

—¿Te ayudo? —preguntó Teo, abriendo la portezuela posterior.

—Si no te importa... ¿Sabes lo que pesa este condenado bicho?

—Ni idea.

—Más de ochenta kilos.

—¡Imposible!

—Bueno, ya lo verás.

Denis y Teo llevaron a Kwik a un semisótano habilitado como laboratorio y lo colocaron sobre una mesa. Enseguida, el profesor se acercó y tan-

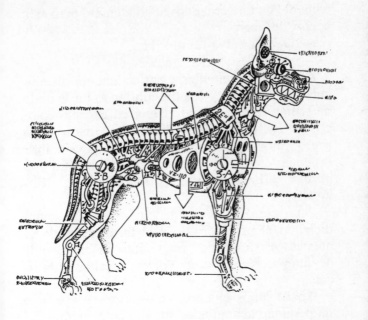

teó con la mano derecha el cuello del animal,
como buscando algo. Luego, tiró de pronto, con
un movimiento rápido, y se oyó el clásico ras-
gueo que hace un cierre de cremallera al
abrirse.

—¡Noooo! —rugió Teo.

El profesor acababa de «abrir» al perro como
si fuese un anorak y, con la mano, apartaba suavemente la piel. Dentro, no había vísceras, ni
carne, ni músculos, sino...

—Kwik es un perro-robot —aclaró el
profesor—. Su esqueleto es una imitación per-

fecta del de un verdadero dogo alemán, pero está hecho de acero...

—¿De acero? —repitió Teo.

—Sí. Por eso pesa tanto...

Abrió otra cremallera, perfectamente disimulada bajo el pelo, y fue descubriendo parte de la musculatura del animal. Tenía un extraño color grisáceo y, entre ella, brillaban los «huesos» de acero. Sergio y Xolotl observaban todo sin abrir la boca, pero Teo no cesaba de mostrar su pasmo: «¡Fantástico!»... «¡Increíble!»... «¡Colosal!».

—Y claro, no está muerto —prosiguió diciendo el profesor—. Se le ha descargado la batería, eso es todo. En cuanto la carguemos de nuevo, Kwik podrá volver a saltar y brincar...

Apartó unos cuantos «músculos» y apareció un pequeño acumulador situado en el vientre del animal, y luego unos hilos que conducían a una toma de contacto disimulada bajo el cuello.

—Por ahí conectamos la batería con la corriente eléctrica, para volverla a cargar —explicó el profesor—. Muy sencillo, como veis.

—¿Y por qué escogió usted como modelo un dogo alemán? —preguntó Teo.

—Porque me gustaba. Es un espléndido tipo de perro, ágil y robusto... No ha sido fácil llegar a reproducirlo con exactitud, claro. He necesitado casi veinte años...

—Podía haber fabricado usted un perro más sencillito, sin *pedigree*... —observó Xolotl.

El profesor no respondió enseguida. Acarició maquinalmente la cabeza del animal, como si estuviera pensando en otra cosa, antes de hablar.

—Hay que aceptar el reto de lo más difícil —dijo por fin—. Quería demostrar que era capaz de fabricar un buen perro-robot, lo más perfecto posible, capaz de emular a los mejores perros de raza. Haciendo eso, podría hacer cualquier otra cosa, como...

El profesor se interrumpió súbitamente. Vaciló unos instantes y añadió:

—¿Queréis verle funcionar?

—Sí, sí —respondió Sergio enseguida—. Aunque si la batería está descargada, habrá que esperar unas horas, hasta que se cargue...

—Sí, claro. Pero puedo poneros una película... Si eso os interesa, desde luego.

—Claro que nos interesa... Pero ya es tarde, profesor, y no queremos molestarle...

—Es cosa de minutos. Diez, como mucho... Seguidme.

El profesor salió del laboratorio, seguido de Denis y de Teo. Sergio iba a continuación, pero tuvo tiempo de ver que Xolotl seguía mirando a Kwik.

—¿Vienes? —dijo.

Pero Xolotl no le hizo caso y continuó mirando al perro-robot. Sergio no insistió. Vendría a buscarle cuando la película estuviera a punto de empezar.

El profesor les condujo a una salita en la que había un proyector y una pantalla. Luego buscó

una cinta y la colocó en el proyector. Dio a un interruptor y, tras un ruido extraño, el motor se paró.

—Se ha hecho un bucle —explicó el profesor—. El cargador automático es muy práctico, pero cuando se atasca es una lata.

Retiró cuidadosamente la cinta, pegó al extremo otra cola de celuloide y volvió a conectar el aparato, que esta vez sí funcionó. Denis apagó la luz y todos tomaron asiento ante la pantalla. Sergio se había olvidado por completo de Xolotl.

La película era corta, pero estaba bien tomada y se veía perfectamente a Kwik en acción: vagando por el jardín, corriendo, sentándose a descansar... Sus movimientos, sin embargo, eran torpes y premiosos, irregulares, y al final de la película se desplomaba. Se veía enseguida que era una especie de juguete, no un perro de verdad; hasta un niño sería capaz de darse cuenta.

—Bien, ¿qué os ha parecido? —les preguntó el profesor.

Sergio esperaba otra cosa y estaba decepcionado, pero no quiso decir nada, para no defraudar al profesor.

—¿No te ha gustado? —insistió el profesor—. ¿Crees que no está conseguido?

Sergio trató de endulzar su respuesta.

—Bueno, profesor... Supongo que será difícil lograr unos movimientos más suaves, más... naturales... Aunque a lo mejor es defecto del proyector.

—No, el proyector funciona perfectamente —dijo, sonriendo.

—Entonces...

—Lo que acabas de ver es una de las pruebas del primer perro que fabriqué, el Kwik II. El que hemos recogido hoy en el paso de Carré es el Kwik VI.

El profesor cogió otra cinta y la colocó en el proyector.

—Ahora le vais a ver —añadió.

Al aparecer en pantalla, parecía dormir, pero enseguida abrió los ojos, se incorporó, se sentó sobre sus patas traseras y miró alrededor: luego se alzó sobre las cuatro patas y empezó a mover la cola. Tenía una cabeza preciosa y unas orejas tiesas, bien proporcionadas.

—Esto es otra cosa... —musitó Sergio.

Kwik echó a andar, lentamente, moviendo la cabeza. Luego echó a correr y saltó un seto. Era un animal soberbio, de movimientos elásticos y armoniosos.

—¡No es posible! —exclamó Sergio—. Tiene que ser un perro de verdad...

—En absoluto —repuso el profesor—. Obsérvalo bien, Teo. Un perro de verdad no corre tan deprisa, ni es capaz de saltar un seto de esa altura...

El perro seguía corriendo a una velocidad endiablada, con un galopar rápido y firme, pero muy flexible, y saltaba obstáculos cada vez más altos.

—¡Es increíble! —exclamó Teobaldo.

La película acababa de terminar. El profesor desconectó el proyector y Denis encendió la luz. Xolotl estaba ya allí, pero Sergio no le había sentido entrar. Teo se quedó callado unos segundos, mirando al vacío, hasta que por fin habló:

—Tenía usted razón, profesor. Ningún perro es capaz de dar esos saltos ni de correr a esa velocidad. Ha conseguido usted algo extraordinario...

Se detuvo, vaciló unos instantes y añadió:

—Perdone, profesor. ¿Podríamos volver a ver a Kwik?... Si no le molesta, claro...

—Lo siento, profesor —dijo Denis antes de que éste tuviera tiempo de contestar a Teo—, pero me tengo que ir. Me esperan en casa. ¿Necesita usted algo más?

—No, Denis, puedes irte. Y gracias por tu ayuda.

—De nada, profesor. Si necesita usted algo, llámeme.

El muchacho estrechó la mano a todos y salió de la habitación. Instantes después, oyeron el ruido que hacía un velomotor al arrancar.

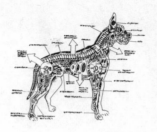

III

De nuevo en el laboratorio, delante de la mesa en que reposaba Kwik, Teo le preguntó al profesor si podía hacerle unas cuantas preguntas.

—Naturalmente, amigo mío.

—¿De qué están hechos los músculos de Kwik?

Con gestos preciosos, el profesor abrió la piel de una pata para que se viera el interior. Luego, retiró la membrana gris que recubría uno de los músculos, una especie de funda de caucho, delgada y elástica, que dejó al descubierto una serie de discos metálicos de distinto diámetro unidos entre sí por el centro.

—¿Veis estos discos? —dijo el profesor—. Son

los que hacen el papel de los músculos. Están hechos de una aleación especial, cuyo nombre no os diría gran cosa.

—¿Y cómo funcionan?

—Cuando el músculo permanece en reposo, los discos están a unos dos milímetros de distancia uno de otro. Basta con hacer pasar por ellos una corriente eléctrica para que se acerquen un poco. Mirad...

El profesor cogió un par de hilos de cobre y los aplicó al «músculo»; luego los conectó con un cuadro eléctrico provisto de un reóstato que empezó a manipular. Inmediatamente, los discos se aproximaron un poco y la pata del perro se dobló.

—¿Es resistente ese mecanismo? —preguntó Teo.

—Bastante —repuso el profesor—. Trata de inmovilizar la pata... sin tocar los hilos, claro.

Teo sujetó fuertemente la mano de Kwik y el profesor dio media vuelta a la derecha la palanca del reóstato: el músculo se contrajo aún más, a pesar de los esfuerzos de Teo por evitarlo.

—¡Fantástico! —exclamó Teo—. ¡Qué potencia la de este animal!

—Es lógico. Kwik VI pesa más de ochenta kilos. Necesita tener unos músculos muy fuertes, para poder correr y saltar.

Colocó el reóstato en cero —posición vertical— y el perro-robot enderezó la pata.

Sergio lo había estado contemplando todo en silencio. Sus ojos iban de acá para allá, como si no quisiera perderse un solo detalle. En cuanto a

23

Xolotl, miraba también en silencio, pero como si estuviera distraído o aquello no le interesara demasiado.

—Tiene que ser un perro muy peligroso —insinuó Teo.

El profesor alzó el belfo del animal para dejar al descubierto su dientes.

—Sí, lo es —admitió—. He disminuido los riesgos reduciendo la potencia de los músculos maxilares y limándole los dientes, pero sigue siendo peligroso, sobre todo por su peso. Si atacase a un hombre, podría hacerle mucho daño...

A lo largo de los músculos corrían hilos recubiertos de un aislante, como los que se utilizan en los aparatos electrónicos. El profesor separó unos cuantos con cuidado de no romperlos y luego apartó los músculos para descubrir un hueso.

—Los huesos son de acero inoxidable. Lo más complicado son las articulaciones...

—¿Por qué?

—Porque tienen que permitir a Kwik correr como un perro de verdad. Además, era preciso poder engrasarlas.

—¿Sí?

—Claro. Todas las máquinas necesitan engrase de vez en cuando, para funcionar con suavidad. Pero claro, no podía estar engrasando a Kwik cada dos por tres... Por eso, las articulaciones se lubrican solas. No ha sido fácil conseguirlo, pero por fin...

Con gesto afectuoso, acarició la cabeza del

animal, como había hecho antes, y Denis también.

El profesor se quedó meditabundo.

—Kwik no podrá salir en bastante tiempo —musitó.

—¿Por qué?

—Porque había empezado a saltarse el muro del jardín. Hoy ha sido la tercera vez que lo ha hecho. Siempre se iba al bosque de Lente.

—¿Por qué?

—No lo sé. Las dos primeras veces lo encontramos tras seguir sus huellas, porque la tierra estaba húmeda. Hoy no hemos podido, pues no ha llovido desde hace quince días...

—¿Nunca se ha ido más lejos o en otra dirección?

—No. Sus baterías se agotan pronto. Por eso estaba casi seguro de que lo encontraríais en el paso de Carré.

El profesor se quedó callado un buen rato. Luego consultó su reloj.

—Ya es tarde —dijo—, más de las nueve... ¿Por qué no os quedáis a dormir aquí?

* * *

Minutos más tarde, los tres amigos se encontraban en el segundo piso del chalé, en una habitación abuhardillada utilizada como desván. Hincharon sus colchonetas, pero no tenían ganas de dormir.

—Todavía es pronto —dijo Teo—, y además no tengo sueño... Todo esto es fantástico... Si me lo cuentan no me lo creo.

Se volvió hacia Xolotl y añadió:

—Tú te has perdido lo mejor. Llegaste cuando la película estaba terminando y...

—¿Tú crees?

—Claro. Te quedaste mirando a Kwik...

—Sí, pero sólo unos segundos. Cuando vi que os habíais ido, quise salir del laboratorio, pero me equivoqué de puerta...

—¿Y...?

—Me encontré en otro laboratorio... ¿y a que no sabéis lo que vi allí?

—Ni idea. Un gato-robot, o un caballo-robot... ¡Qué sé yo! A lo mejor un dragón... Después de lo que hemos visto...

Xolotl no respondió de momento. Estaba claro que quería mantener el «suspense».

—¿Quieres hablar de una vez? —estalló Teo—. ¡Dinos lo que viste!

—Un hombre-robot.

—¡Anda ya!

—Estaba tumbado sobre la mesa y le faltaba la piel. Sus músculos y sus huesos eran como los de Kwik, pero estaba aún más lleno de hilos...

Teo no salía de su asombro.

—Pero eso es imposible —musitó—. Hacer un hombre no es lo mismo que fabricar un perro...

Sergio no había dicho una sola palabra. Se había desnudado y estaba tratando de localizar su pijama en uno de los bolsillos de su mochila.

—Me gustaría ver ese robot —dijo, como distraído.

Luego, volviéndose hacia Teo, añadió:

—No creo que sea imposible fabricar un androide, Teo. No sería el primero.

—¿Fabricar un qué...?

—Un androide, es decir, un robot con forma humana.

—¿Y dices que ya existe alguno?

—Sí, varios.

Encontró por fin su pijama y empezó a ordenar todo lo que había sacado de la mochila.

—No sé cuántos —prosiguió diciendo—, pero recuerdo uno que era capaz de escribir un texto en un papel. Utilizaba una pluma de ganso y la mojaba en el tintero siempre que iniciaba una línea.

—Pero, ¿escribía de verdad?

—Sí, pero siempre lo mismo.

—¿Hace mucho que se fabrican esos... esos...?

—Androides. Sí, hace más de dos siglos, cuando todavía se desconocía la electricidad. En 1770, un par de individuos fabricaron uno, hecho totalmente a mano en un taller diminuto... ¿Imaginas?

—¿Y luego? ¿Se fabricaron más?

—Varios. Ya te lo he dicho. Si se lograron fabricar hace más de dos siglos, imagina lo que se podrá hacer ahora, en la era electrónica... Por eso estoy convencido de que el profesor, si se lo propone, logrará hacer uno casi tan perfecto como el perro. Salvo una cosa...

—¿El qué?

—La batería. Si hay que cargarla con frecuencia, el androide no tendrá autonomía...

Sergio se puso el pijama y añadió:

—En fin, mañana lo sabremos. Si el profesor se ha empeñado en que nos quedemos, es que algo tiene entre ceja y ceja...

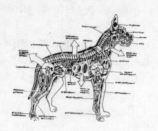

IV

*A*l día siguiente, cuando bajaron a desayunar, conocieron a la esposa del profesor Mouret, una mujer bajita, con el pelo cobrizo, que hablaba deprisa, acompañándose de gestos rápidos y nerviosos.

—Mi marido me ha dicho que ayer le ayudasteis a buscar a Kwik y a traerle a casa... Habéis sido muy amables.

—Lo hicimos con mucho gusto, señora —respondió Teo.

De todas formas os lo agradecemos de veras. Queremos mucho a Kwik. Alegra esta casa...

Teo casi no pudo evitar el poner de manifiesto su asombro. ¡La señora Mouret hablaba de Kwik como si fuera un perro auténtico! ¿Se engañaba a sí misma deliberadamente?

—Mi marido se levanta siempre muy temprano —prosiguió diciendo—. Ahora está en el laboratorio, con el mecánico, pero no tardará en venir a desayunar. Si queréis esperarlos...

La mesa estaba puesta y había seis cubiertos.

Sergio se acordó de Denis. ¡Qué extraño era! ¿Por qué se habría ido tan bruscamente anoche? Teo debía estar pensando lo mismo, porque preguntó:

—¿El mecánico es Denis?

—No —repuso la señora Mouret—. Es un joven vietnamita que se llama Haum. Es muy simpático, ya veréis.

Al cabo de unos cinco minutos, el profesor entraba en el comedor seguido por un joven de ojos oblicuos vestido con un jersey y pantalones vaqueros. Se lo presentó a los muchachos y Haum les fue estrechando la mano uno a uno con sonrisa amable, al tiempo que decía: «Encantado».

A Xolotl le tocó desayunar sentado al lado de Haum. Sergio estaba situado en frente y podía ver muy bien a los dos. Con su piel morena, su pelo negro, brillante y liso, sus ojos oscuros y sus pómulos salientes, ambos ofrecían una extraña similitud. «Es divertido», pensaba. «Podrían pasar por primos...».

La señora Mouret le pasó a Xolotl un cestillo con bollos suizos. El chico cogió uno y pasó a su vez el cestillo a Haum, que rehusó diciendo:

—No, gracias. No tengo apetito...

Tomó el cesto y se lo ofreció al profesor, que cogió un par de bollos. Sergio miró a Xolotl y luego a Teo. Ninguno hizo el menor comentario, pero sin duda todos estaban pensando lo mismo: *Los androides no comen*. ¿Sería Haum un androide?... Ni el profesor ni su esposa les habían dicho nada, pero tampoco se habían extrañado de su falta de apetito.

—¿No te apetece un bollo, Sergio?

El joven volvió de su ensoñación, cogió un bollo, dio las gracias al profesor y pasó el cestillo a Teo. ¿Por qué Haum se sentaba a la mesa si no comía?... ¿Sería por pura cortesía?...

En ese momento, Haum cogió una jarra de agua, llenó un vaso y se lo bebió de un trago tranquilamente. «Los androides tampoco beben», pensó Sergio.

Estaba hecho un auténtico lío. Sospechaba que Haum era un androide, a pesar de todo, pero no estaba seguro. No lo quitaba ojo de encima, aunque lo miraba con disimulo. «Si realmente es un androide», se decía, «algo le delatará». Pero todo era normal en él: las manos, las orejas, las narices... Tal vez lo ojos, porque miraba siempre al frente, sin fijarse en nadie en concreto. Pero sólo era eso, porque permanecía atento, y si alguien solicitaba azúcar o mantequilla se lo pasaba enseguida, sonriendo. «Si es un androide», pensaba Sergio, «es una obra maestra... salvo el acento. No parece extranjero...»

Cuando Haum no tenía las manos ocupadas, las ponía sobre la mesa con toda naturalidad. Unas manos normales, bien cuidadas, finas... Sergio se fijó en las uñas, sonrosadas, bien recortadas, limpias... No, nada indicaba que Haum no fuera un ser humano, un vietnamita.

—No voy a ir al laboratorio ahora, Haum —dijo el profesor al concluir su desayuno—. Estaré allí dentro de una media hora. Ve tú y pon un poco de orden en mis cosas.

—Entendido, profesor —respondió Haum con presteza.

Se levantó y salió del comedor, cerrando gentilmente la puerta.

* * *

En cuanto se dejaron de oír sus pasos en el pasillo, el profesor miró a los tres muchachos y, con sonrisa malévola, dijo:

—Supongo que os habréis dado cuenta.

—De que es un androide, ¿no es eso? —repuso Sergio, convencido.

—En efecto. El mismo que Xolotl vio ayer en la habitación en que entró por equivocación...

—¿Cómo lo sabe, profesor? —preguntó el indito.

—Bueno, no era difícil de adivinar. Olvidaste cerrar la puerta al salir.

Se produjo un momento de cierta tirantez, que Sergio resolvió enseguida.

—Es magnífico, profesor... extraordinario —dijo—. Pero tengo que hacerle tantas preguntas que no sé por dónde empezar.

—Empiezas por donde quieras.

—Está bien. ¿Por qué le ha convertido en vietnamita?

—Para que pase inadvertido. Nada más. Al verlo, la gente le mirará un tanto extrañada, pero luego pensarán que es un vietnamita o un camboyano y a nadie se le ocurrirá imaginar que pueda ser un androide.

—Pero...

Teo le interrumpió.

—¿Y cómo ha conseguido usted que hable, profesor?

—Porque tiene pulmones, y laringe, y lengua, y cuerdas vocales, como nosotros. Siempre que he podido, he imitado los elementos del organismo humano...

—Imagino que estará preparado para repetir siempre las mismas frases —observó Teo.

—En absoluto. Haum no se parece en nada a los demás androides. Por eso no obra siempre de la misma manera. Sus gestos y sus palabras dependen de lo que ve, de lo que le dicen...

—¿Es que tiene un cerebro como el nuestro? —preguntó Sergio.

—Sí, tiene cerebro, pero no se parece nada al nuestro.

Los tres muchachos se miraron, incrédulos. La señora Mouret, que estaba escuchando, intervino en ese momento.

—Hace unos meses —dijo— era tan escéptica como vosotros. He necesitado verlo para creerlo.

Sergio se sentía incómodo. Vaciló unos instantes y, por fin, preguntó:

—A ver si he entendido. Suponga, profesor, que estoy cerca de Haum, que le paso el cestillo con los bollos y que no quiere ninguno; sin embargo, le ofrezco un vaso de agua, lo acepta y se lo bebe. ¿Por qué en un caso rehúsa y en el otro acepta? ¿Qué mecanismo actúa en su cerebro?

El profesor sonrió enigmáticamente. La pregunta de Sergio no le había desconcertado en absoluto.

—¿Sabes lo que es un cambio de agujas?

—Sí, claro —repuso Sergio—. ¿Se refiere a las estaciones?

—Sí. Cuando se quiere que un tren cambie de vía —prosiguió diciendo el profesor— un ferroviario aprieta un botón en la cabina de mando y el tren toma una vía u otra... Pues bien, algo parecido sucede en la cabeza de Haum. Hay unos hilos por los que llega la electricidad y una especie de cambio de agujas al final.

—Entonces —dijo Sergio—, Haum acepta si la electricidad llega por un hilo y rehúsa si viene por otro...

—Exacto.

Sergio se quedó meditabundo unos instantes. Luego dijo:

—Lo que no acabo de comprender es en qué consisten las «agujas». Necesitará muchísimas y tendrán que ser muy pequeñas para que le quepan en la cabeza...

—Desde luego. Antes, habría tenido que utilizar tubos electrónicos, y sólo hubiese sido posible alojar diez o doce en la cabeza de Haum. Ahora es diferente. Basta con...

—Unos transistores —le interrumpió Sergio.

—No. Microcircuitos, que son todavía más pequeños.

—¿De qué tamaño, más o menos? —preguntó Teo.

—Bueno, no querría cansaros con detalles técnicos, pero puedo deciros que se pueden fabricar microcircuitos del tamaño de un guisante que equivalen a unos dos mil tubos electrónicos... O dos mil «cambios de aguja», si prefieres...

—¡No es posible! —exclamó Teo.

—Sí lo es. En la cabeza de Haum hay unos seis millones de «agujas» en microcircuitos.

Se hizo un silencio bastante prolongado. Los tres muchachos estaban asombrados, confundidos. Sergio fue el primero en reaccionar.

—Pero, entonces, profesor, eso quiere decir que Haum posee un cerebro perfectísimo...

—No tanto. ¿Sabes tú cuántas «agujas» —es decir, cuántas neuronas— tiene un cerebro humano?

—No.

35

—Unos tres mil millones. Como ves, el cerebro de Haum, en comparación, es sencillísimo.

—¿Es usted quien ha fabricado esos microcircuitos, profesor? —preguntó Teo.

—No, un amigo mío. El profesor Marcillac. Es uno de los mejores especialistas en microcircuitos.

—El padre de Denis, ¿no?

—Sí. Ha estado trabajando durante varios años en el cerebro de Kwik. Sin él, no sería lo que es.

La señora Mouret continuaba escuchando, haciendo de vez en cuando una observación.

—Aunque el cerebro de Haum sea sencillo —dijo—, sabe hacer muchas cosas, algunas muy difíciles. Y creo que todavía sabe hacer más. Es muy hábil y nunca mete la pata, gracias a Dios...

—¿No se equivoca nunca? —preguntó Teo.

—No. Pero no pensaba sólo en eso, sino en que nunca ha pisado a nadie... Sería una desgracia, porque pesa casi doscientos kilos...

Xolotl, que todavía no había intervenido, lo hizo ahora.

—¿Y de qué es su piel? —preguntó.

—De buna, es decir, caucho artificial. Pero la que hemos utilizado para confeccionar la piel de Haum es de la mejor calidad, mucho más sólido y flexible que el caucho natural. Es casi imposible que se raje o estropee.

—Cuando le vi ayer no tenía piel —observó Xo.

—No. Tuve que quitársela para hacer una

última revisión de algunos músculos. Se la volví a poner esta mañana. Es muy fácil...

—¿Y sus orejas?

—Son micrófonos de gran sensibilidad.

Xolotl, que era corto en palabras, se había lanzado a preguntar:

—¿Y el pelo?

—Es auténtico. Una especie de peluca hecha con pelo de verdad.

—¿Y las uñas?

—Son de acero inoxidable, muy fino, recubierto de una capa de esmalte.

—¿Y por qué de acero? ¿Es que piensa usted que las utilice como arma, a la manera de los felinos?

—¡Claro que no! Haum es sumamente pacífico... Lo que pasa es que las uñas auténticas vuelven a crecer si se rompen, pero éstas no; por eso deben ser muy resistentes.

Xolotl ya debía haber agotado su repertorio de preguntas, porque se calló. El profesor reflexionó un poco y luego miró sucesivamente a cada uno de los tres jóvenes, como si no terminara de decidirse a hablar.

—¿Os gustaría hacer una excursión acompañados de Haum? —dijo por fin.

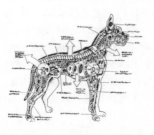

V

S ergio se quedó boquiabierto, sin acabar de creer lo que acababa de oír.

—¿Habla en serio, profesor?

—Completamente en serio. Si Haum os acompañara, me haríais un gran favor.

La señora Mouret debía estar al corriente de los proyectos de su marido, porque no manifestaba sorpresa alguna.

—Sí, muy grande —repitió el profesor—. Comprenderéis que no es nada fácil fabricar un androide como Haum.

—Desde luego.

—Lo terminé hace dos meses, como creo haberos dicho. He observado detenidamente su comportamiento en la ciudad y aquí, pero querría ver cómo se comporta en otros sitios...

—¿En el campo, por ejemplo? —preguntó Sergio.

—Sí. Es muy importante. Quiero dejar solo a Haum, pero vigilado de cerca. Me da miedo que pueda cometer un error, o que se meta en un lío. Creo que vosotros podríais realizar perfectamente esa misión de vigilancia.

Mientras el profesor hablaba, Teo no cesaba de mirar a Sergio por el rabillo del ojo. «Va a decir que sí», pensaba. «No puede evitarlo. Siempre que se presenta una aventura, la acepta con los ojos cerrados»... Teo era más prudente que Sergio y no podía evitar el pensar en los riesgos.

—Perdone, profesor —dijo—. Si Haum pesa cerca de doscientos kilos, podría aplastarnos como un tanque, ¿no?

—Sí... desde luego.

—Entonces, suponga usted que Haum haga una tontería o que se encuentre en peligro. ¿Qué hacer, si no sigue nuestros consejos? No podríamos obligarle por la fuerza...

El profesor no tardó en responder. Había previsto esa objeción.

—No habría problema. Cuando os he hablado del cerebro de Haum no os lo he dicho todo... Hay una zona en su cerebro que podríamos denominar de «memoria permanente». Una memoria ordinaria puede borrarse, pero ésta no. En ella se registran las instrucciones más importantes, las que no conviene que olvide en absoluto. ¿Os lo había dicho?

—No, profesor.

—Pues bien, utilizaremos una parte de esa memoria permanente para que Haum obedezca ciegamente a uno de vosotros...

Sergio cambió de expresión. Estaba claro que la idea de vigilar al androide y ser como su amo le agradaba.

El profesor dejó pasar unos segundos y luego dijo:

—Había pensado que tú, Sergio...

—De acuerdo, profesor.

Sergio no había dudado un solo instante en responder que sí.

Xolotl y Teo no habían abierto la boca, pero sonreían con sonrisa ambigua.

—¡Estupendo! —exclamó el profesor—. Sólo queda una cosa por hacer: grabar tu voz en un magnetófono para asegurarse de que Haum la reconocerá. Lo haremos esta tarde...

* * *

A primera hora de la tarde, Sergio se presentó en casa del profesor Marcillac.

—Seguramente será Denis quien se encargue de la grabación —le había dicho el profesor Mouret—. Está al corriente de todo y sabe muy bien lo que debe hacer.

El profesor Marcillac vivía en una villa aislada, a la salida de Sassenage. Sergio llamó al timbre y Denis le abrió la puerta.

—Hola —dijo con indiferencia—. Así que vas a ser tú quien haga de niñera, ¿no?... ¡Bonito papel! Lo vas a pasar en grande.

Introdujo a Sergio en una habitación amplia, mitad laboratorio y mitad salón, y comenzó a hacer los preparativos para la grabación. Trabajaba con desgana, pero con precisión, sabiendo lo que se hacía.

—Parece que eso no tiene secretos para ti —dijo Sergio.

—¡Imagínate! Hace cuatro años que trabajo con mi padre. Asistí al montaje de Kwik VI y a las primeras pruebas de Haum... ¡Podría contarte tantas cosas!

Denis conectó el magnetófono, le dijo a Sergio que se sentara junto al micrófono, grabó dos o tres frases y las pasó un par de veces, a gran velocidad.

—¿Por qué pasas la cinta tan deprisa? —preguntó Sergio.

—Por la calidad del sonido. Mi padre quiere que se hagan bien las cosas. Haum debe recono-

41

cer tu melodiosa voz sin posibilidad de error...
Bien, aquí tienes tu texto. Vamos a empezar.

Denis mostró a Sergio un montón de folios mecanografiados colocados sobre la mesa.

—¿Todo eso?

—Sí. Aunque hagan faltan media docena de cintas.

—Pero es una barbaridad...

—Tranquilo. Está plagado de palabras vulgares, intercaladas en frases sin sentido. Bien. ¿Empezamos?

—Sergio se puso a leer, interrumpido a menudo por Denis.

—Empieza otra vez, sin ese tono académico... Procura leer como si estuvieras hablando... ¿Nunca has trabajado en la radio?

—No.

—Ya se nota.

A pesar de su aire de desgana, Denis era muy exigente.

Al cabo de dos horas, habían terminado la grabación. Denis la escuchó de cabo a rabo y se mostró satisfecho.

—Vale —dijo—. Mi padre va a programar a Haum esta misma tarde. Si todo va bien, podréis iros mañana.

—¿Y tú no piensas acompañarnos?

—¡Ni hablar! No me gusta hacer de niñera. Además, tengo otra cosa que hacer...

Sonrió enigmáticamente, como para intrigar a Sergio, que pensó, una vez más, que Denis era un muchacho extraño. «Nunca se sabe si habla en broma o en serio». A pesar de todo, decidió hacerle unas cuantas preguntas sobre Haum, que Denis respondió sin vacilar.

—Sí, hombre, sí. Haum está programado para ser amable. Y lo es, eso está claro, aunque será mejor que no te fíes...

—¿Por qué?

—Porque bastaría con modificar unas cuantas soldaduras en su cráneo para que se convirtiera en un asno.

—¿Habéis probado?

—Ni hablar. Sería muy peligroso, con lo fuerte que es.

Denis estaba muy documentado, quizá demasiado, y empleaba a veces términos técnicos que Sergio no acababa de comprender.

—En cualquier caso —dijo—, su cerebro es muy simple. Con seis millones de células nerviosas no puede hacer gran cosa.

—No creas —repuso Denis—. Tiene pocas células, sí, pero olvidas una cosa.

—¿El qué?

—Que nuestro cerebro utiliza impulsos nerviosos, que son muy lentos, pero el de Haum usa la electricidad. Su cerebro reacciona con una rapidez cien mil veces mayor.

—¿De verdad?

—Sí, puedes creerme. Si se trata de reaccionar rápidamente, Haum te derrotará.

Había oscurecido ya, y Sergio miró su reloj.

—¡Ahí va, qué tarde es! —exclamó—. Tengo que irme. Gracias por lo que me has contado. Adiós.

—Adiós.

* * *

Aquella noche, Sergio y sus amigos cambiaron impresiones sobre Haum con el profesor Mouret.

—La verdad es que no las tengo todas conmigo, profesor —dijo Sergio.

—¿Por qué?

—Porque *sé* que es un androide. Si no lo supiera sería más fácil... Pero me consta que es un robot, que sus huesos son de acero, su piel de goma y su cerebro electrónico...

—Bueno, ¿y qué?

—Pues que no se me irá de la cabeza cuando esté con él, y no sabré qué decirle.

El profesor le escuchaba interesado, pero no asombrado.

—Sí, ya he pensado en eso —dijo—. Tendrías que procurar olvidarte de ello, y hablarle como si fuera un muchacho de tu edad.

—Lo intentaré...

Sergio guardó silencio unos instantes y añadió:

—Me vienen tantas cosas a la cabeza, tantas preguntas que hacer... Dígame, profesor: ¿cómo se le cargan las baterías?

—De ninguna manera, porque no lleva.

—¿No?... ¿Y cómo obtiene su energía?

—Mediante un mini-reactor nuclear de plutonio, situado en su vientre, que es prácticamente inagotable. Eso le hace por completo independiente.

—Si es así...

Xolotl escuchaba en silencio, con los ojos entornados. Teo, por su parte, no parecía prestar atención, como si aquello no le interesara. En cuanto a Sergio, las respuestas del profesor le tranquilizaban de momento, pero tan pronto como se le ocurría otra pega, volvía a inquietarse.

—Suponga, profesor, que nos topamos con algún desconocido y se pone a hablar con Haum, a hacerle preguntas. ¿Cómo impedirlo?

—No hay por qué impedirlo...

—¿Y si empieza a decir tonterías?

—Eso no puede suceder. En su memoria permanente tiene instrucciones concretas. Si le hacen preguntas indiscretas, responderá con sencillez, pero con coherencia.

—¿Y cómo le tendré al corriente de lo que pase?

—Me telefonearás todas las mañanas, ¿vale?

Sergio asintió, pero no parecía muy convencido y sí dispuesto a seguir haciendo preguntas, así que el profesor le entregó una docena de folios mecanografiados y le dijo:

—Es ya tarde y estamos todos cansados. Aquí están las instrucciones que he redactado para ti. Con ellas podrás resolver cualquier pega... Todo irá bien, ya lo verás.

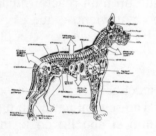

VI

*A*l día siguiente, trajeron al androide que, la víspera, habían llevado a la villa del señor Marcillac, en una furgoneta. El profesor había estado manipulando en el cerebro del robot toda la noche, sin más ayuda que la de su hijo Denis. Al parecer, no quería que nadie se enterase, o tal vez fuera Denis, a quien no le gustaban los curiosos.

Haum ofrecía el mismo aspecto pacífico que el día antes, la misma sonrisa amable. A primera vista no parecía que hubiese cambiado, aunque fijándose bien se advertía algo distinto.

—Me mira con más insistencia que ayer —observó Sergio.

Era verdad: el androide le contemplaba fijamente, como esperando sus órdenes. Su «memoria permanente» le decía que ahora Sergio era su amo.

Después de desayunar, el muchacho le dijo:

—Vamos a hacer una excursión, Haum, y tú vendrás con nosotros.

El robot sonrió ampliamente y se mostró de acuerdo.

—Sí, Sergio.

Los tres jóvenes se despidieron del profesor Mouret y de su esposa. Haum, con una mochila a la espalda, como todos, hizo lo mismo; les dio la mano gentilmente y dijo:

—Adiós, profesor; adiós, señora. Hasta pronto.

Y se pusieron en camino, no sin cierto nerviosismo. Sergio era el más preocupado. Trataba de olvidarse de que Haum era un androide, pero no lo conseguía. Como no sabía qué decir, le hizo una pregunta tonta:

—¿Es la primera vez que te separas del profesor?

—Sí.

Sergio, entonces, empezó a explicarle el camino que iban a seguir. Haum parecía escuchar con atención y asentía de vez en cuando. Incluso hacía algunas preguntas.

Pronto, la inicial sensación de malestar se fue disipando. Xolotl y Teo no tardaron en mezclarse en la conversación. Sergio respiró, pensando que lo peor ya había pasado.

En una ocasión estuvo a punto de preguntarle si estaba cansado, pero se dio cuenta a tiempo de que era absurdo. De todas formas, no era fácil adivinar lo que el androide sentía, o mejor dicho, sabía, aunque no tardó en comprobar que se apartaba cuando pasaba un coche y que siempre caminaba por la izquierda de la carretera... Sí, le habían enseñado muchas cosas. ¡Hasta sabía leer! Comprendía las señales indicadoras, pero tenía que acercarse mucho para verlas. ¿Tendría mala vista?... «Bien, ya lo averiguaré», pensaba Sergio.

Hacia las once de la mañana, al acercarse a Saint-Martin-d'Uriage, Haum dijo que tenía sed. Sergio no sabía por qué el androide tenía que beber agua de vez en cuando, pero asintió sin vacilar.

—Está bien, Haum. En cuanto lleguemos al pueblo tomaremos algo.

Entraron en un pequeño bar de aspecto simpático y ocuparon una de las mesas. Haum, antes de sentarse, calibró la resistencia de la silla, por si acaso. «No se le escapa una», pensó Sergio.

No había hecho más que sentarse cuando al muchacho se le ocurrió algo. Se levantó y fue hacia la barra, atendida por la dueña, una amable anciana de pelo blanco.

—Buenos días, señora.

—Hola joven. ¿Qué queréis tomar?

Sergio se volvió hacia sus compañeros y preguntó:

—¿Qué vas a tomar, Haum?

—Agua mineral —respondió el androide sin vacilar.

—¿Y vosotros?

—Una naranjada —dijeron casi al mismo tiempo Teo y Xolotl.

Para mí una limonada —dijo Sergio.

Mientras la dueña destapaba las botellas, Sergio volvió a preguntar:

—Oye, Haum: ¿serías capaz de agarrar las botellas si te las tiro desde aquí?

—Claro que sí.

—Bien, ¡cógelas!

Y le lanzó una, que Haum atrapó al vuelo sin la menor vacilación. Luego hizo lo mismo con las otras tres. Haum apenas se había movido y los movimientos de su mano y de su brazo habían sido precisos y rápidos.

La dueña, que lo había observado todo con el alma en vilo, dijo:

—Si todos los clientes hicieran como vosotros no necesitaría camareros...

Xolotl estaba muy divertido y Teo a punto de estallar de risa.

—¿Sois todos tan hábiles como ese extranjero? —preguntó la anciana.

—No, señora. Si hubiese sido yo, se me habría caído alguna botella.

Haum sonreía, con la sonrisa de siempre. Sergio le miró y se mosqueó un poco; le parecía que había en ella una pizca de ironía. «¿Tendrá sentido del humor?», se dijo. «Sería... ¡pero es imposible! Al fin y al cabo, no es más que un robot...».

En ese momento, Sergio comprendió que no habían terminado las sorpresas. Pero se olvidó del tema, y se aplicó a beber su limonada.

* * *

Hacia la una de la tarde, entraron en un restaurante, para almorzar. Haum dijo que no tenía hambre y se limitó a beber un vaso de agua. La camarera que les servía no se sorprendió. No era raro que, en un grupo de clientes, alguno no quisiera comer. «Si sólo es eso», pensó Sergio, «todo irá bien».

Cuando terminaron de comer, los tres jóvenes y el androide siguieron caminando hacia el sur. Sergio se sentía bastante más optimista. Haum obedecía sin rechistar y eso le complacía...

Estaban atravesando el bosque de Prémol y Sergio ya no pudo aguantar más. Se paró al borde de la carretera y dijo:

—Haum, ¿serías capaz de saltar a pies juntillas por encima de mi cabeza? Sin agacharme, claro...

Quería saber si Haum era capaz de correr y saltar tanto como Kwik VI.

El androide no vaciló.

—Sí, claro...

—Pues venga. ¡Salta ya!

Haum saltó, sin apenas tomar impulso, sin esfuerzo aparente, y pasó sin ninguna dificultad por encima de la cabeza de Sergio, cayendo al otro lado con flexibilidad y sin hacer casi ruido. Fue un salto increíble, impecable, perfecto.

—¡Magnífico! —exclamó Sergio.

Los tres amigos se miraron, en silencio. Xolotl tenía una expresión extraña, como si quisiera decir algo pero no se atrevía a hacerlo. Su mirada iba de Sergio a Teo y luego a «algo» que, al parecer, estaba detrás de ellos.

Sergio se volvió bruscamente y vio un automóvil que se aproximaba, despacio. «¡Quiera Dios que no lo hayan visto!», pensó.

El coche aminoró todavía más la marcha, como si fuera a detenerse. En él viajaban dos personas: un hombre de unos treinta años, que conducía, y una mujer sentada a su lado, la cual miraba a Haum fijamente, con asombro.

«Menuda metedura de pata la mía», pensó Sergio.

Lentamente, el auto pasó junto a ellos, sin pararse, y prosiguió su camino. La mujer volvió la cabeza y siguió mirando a Haum, que sonreía, hasta que le perdió de vista.

—¡Puff! ¡Qué alivio! —exclamó Sergio.

Teo, nervioso, abrió la boca como para decir algo, pero no lo dijo. Sergio comprendió que no quería hablar en presencia de Haum, pero su actitud revelaba su pensamiento: era un reproche a Sergio, quien, para disimular, carraspeó nerviosamente y dijo:

—Bien. Sigamos...

VII

A la caída de la tarde llegaron a Séchilienne, donde no les fue difícil encontrar un albergue en el que pasar la noche.

Tras el incidente del bosque de Prémol, Sergio andaba con pies de plomo. A la hora de la cena, encargó un par de platos para Haum, que se comieron directamente entre los tres.

—Buena idea —sentenció Teo, que tenía un excelente apetito.

En el albergue había un espléndido gato siamés de ojos azules que, cuando empezaron a cenar, vino a sentarse a los pies de Xolotl, el cual le dio unos trocitos de carne y le acarició.

—Pronto os habéis hecho amigos —comentó Teo—. Debes tener algo de felino...

De repente, el gato se irguió, arqueó el lomo y

maulló largamente, con el pelo erizado; un maullido furioso, áspero, estridente...

—¿Qué le pasa? —preguntó Sergio.

—No sé. Yo no le he hecho nada... —afirmó Xolotl.

Enseguida, comenzó a recular, maullando cada vez más fuerte.

El dueño del albergue intervino.

—No os asustéis —dijo—. A veces hace eso. Los gatos siameses son imprevisibles... ¡Cállate, «Ritu»!

El gato seguía reculando, con la mirada fija en Haum, una mirada llena de terror y de ira...

Sergio y Teo no abrieron la boca, pero habían comprendido. Ritu estaba muerto de miedo; se había dado cuenta de que Haum no era un ser humano, pero ¿cómo?...

Después de cenar, siguieron un buen rato a la mesa, charlando. Haum se limitaba a responder si le preguntaban, pero no dejaba de mirar a uno y a otro, como si no quisiera perderse una sola palabra.

«No parece que se esté aburriendo», pensó Sergio. «Si es que es capaz de aburrirse»...

El dueño del albergue les facilitó dos habitaciones con dos camas cada una y Sergio decidió compartir la suya con Haum. Era la mejor solución: si había que ordenar algo al androide, estaría a su lado.

En cuanto se quedó solo con Sergio, Haum preguntó:

—¿Me acuesto?

—Sí, sí. Acuéstate.

El androide abrió su mochila y extrajo un pijama. Luego se desnudó y se lo puso, mientras Sergio hacía lo mismo.

—¿En qué cama me acuesto? —preguntó Haum.

Sergio estuvo a punto de responder que en la que quisiera, pero recordó que Haum esperaba una orden, no una frase de cortesía. Así que señaló una de las camas y dijo:

—En esa.

Inmediatamente, Haum abrió la cama y se introdujo en ella. El sommier gimió bajo sus doscientos kilos de peso, pero aguantó. El androide se arropó cuidadosamente y dijo:

—Buenas noches, Sergio.

Antes de que le diese tiempo a responder, Haum ya había cerrado los ojos; luego deslizó una mano tras la oreja derecha y quedó absolutamente inmóvil. Sergio, sorprendido, quiso preguntarle por qué había hecho ese gesto, pero no lo hizo, porque parecía profundamente «dormido». Permaneció unos instantes indeciso y luego recordó las instrucciones que el profesor le había dado por escrito. «Debía haberlas leído ayer», pensó. «Eso del sueño debe tener su explicación...» Rebuscó en su mochila y no le costó encontrar un montón de hojas mecanografiadas. Luego se acercó a la puerta y posó la mano en el interruptor. Dudó unos instantes, pero apagó la luz, ya que Haum estaba durmiendo...

* * *

Cuando Sergio entró en la habitación de Xolotl y Teo, en pijama, éstos acababan de lavarse los dientes.

—¿No tienes sueño? —le preguntó Xolotl.

—Sí —respondió Sergio—, pero quería cambiar impresiones con vosotros...

En pocas palabras, contó cómo Haum se había quedado «dormido».

—A mí también me gustaría... —dijo Xolotl.

Sergio se sentó en una silla, sin hacer caso de la «indirecta» de Xolotl, y mostró las hojas con las instrucciones.

—Me gustaría saber cómo... —musitó.

Y empezó a leer entre líneas, buscando lo que le interesaba.

—¡Aquí está! —exclamó—. Debía haberlo leído antes... Haum tiene un disyuntor detrás de la oreja...

—¿Un qué? —preguntó Xolotl.

—Una especie de interruptor, un poco más complicado que lo normal. Lo lleva bajo la piel, en la base del cráneo. Cuando Haum quiere dormir, apoya un dedo detrás de la oreja izquierda y desconecta el interruptor. Entonces se corta la corriente y se queda como un leño... Así no hay insomnio que valga.

—No, desde luego —comentó Xo, dando un sonoro bostezo.

Teo parecía interesado con el tema.

—Lo que no me explico es cómo se despierta luego...

—Vamos a ver... —dijo Sergio, hojeando los folios—. Aquí está. Se despierta automáticamente al cabo de ocho horas, pues el disyuntor se dispara solo... También se dispara con el ruido... Un despertador, por ejemplo.

—Como nosotros —comentó Teo.

—Y le puede conectar otra persona —siguió leyendo Sergio—, apretando un botón situado también detrás de la oreja...

Sergio continuó pasando las hojas. Teo se había quedado pensativo y Xolotl parecía estar a punto de quedarse dormido.

Se produjo un largo silencio y luego Teo preguntó:

—¿Por qué bebe tanta agua?

—Vamos a ver... aquí está. Escucha: al moverse, sus músculos desprenden calor. Es lo mismo que ocurre con los motores cuando funcionan... ¿Me oyes?

—Sí, sí. Te escucho.

—Todos los motores llevan un sistema de refrigeración. ¿Sabes cuál es el que utiliza Haum para evacuar el calor de sus músculos?

—Ni idea...

—¡Suda como nosotros! Su piel es porosa y el agua que bebe para refrigerar sus músculos se evapora a través de los poros. ¿Te das cuenta? ¡Es fantástico!

Teo parecía cada vez más interesado.

—¿Y por qué tiene que acercarse tanto a los letreros indicadores para leerlos? —preguntó de nuevo.

—Porque su vista es defectuosa. Sus ojos son dos cámaras de televisión, pero tenían que ser muy pequeñas para que le cupieran en las órbitas.

—¿Y qué?

—Que como son muy pequeñas dan una imagen un tanto borrosa.

—¿Como si fuera miope?

—No exactamente. Ve borroso porque las pantallas tienen pocas líneas de definición. De nada valdría ponerle gafas, o lentillas.

Teo iba a hacer otra pregunta, pero Xolotl le interrumpió.

—Ya está bien —dijo—. Me estoy cayendo de sueño...

* * *

A la mañana siguiente, Teo telefoneó al profesor Mouret desde el albergue, procurando que Haum no se enterase. La conversación fue breve. El profesor dio las gracias a Sergio por su informe y colgó enseguida, como si tuviera prisa. «Es curioso», pensó el muchacho. «Parecía como que no le interesara...».

Tomaron la carretera de Boury-d'Oisans, por las gargantas de la Romanche. Los tres amigos ya se habían familiarizado con Haum y caminaban más distendidos.

Un poco antes del mediodía, un perro vagabundo empezó a seguirles de lejos, parándose de vez en cuando para olfatear, como todos los perros; luego, alzaba la cabeza y recobraba, trotando, el terreno perdido. Al cabo de un rato, se aproximó y empezó a mostrarse inquieto. Gruñó unas cuantas veces, enseñando los colmillos, y luego se puso a ladrar furiosamente.

Haum marchaba a la cabeza y era a él a quien se dirigían los ladridos del perro. De pronto, se puso a dar vueltas a su alrededor, ladrando cada vez con más fuerza. Sergio caminaba unos pasos detrás, dispuesto a intervenir en caso necesario, pero Haum seguía avanzando tranquilamente. Sergio observó que el androide miraba fijamente al animal, pero sin alterarse. «No hay problema», pensó. «Le han debido adiestrar para estas cosas y sabe cómo comportarse». ¿Se habrían conocido Haum y Kwik? Seguramente... Y empezó a imaginar al androide sentado en una butaca, acariciando a Kwik, sin reparar en que eran dos robots y carecían de sentimientos.

El perro prosiguió aullando, sin separarse de ellos, hasta que, al cabo de unos minutos, se cansó, dio media vuelta y se fue. Xolotl y Teo se habían quedado un poco rezagados, lo suficiente para que Haum no pudiese oír lo que decían.

—¿Has visto? —susurró Teo—. Ese perro ha notado algo raro.

—Sí —repuso Xolotl—. Yo creo que ha sido el olor a buna. Yo también lo noto, al acercarme a él. Es un olor raro, como a caucho.

Xolotl tenía el olfato muy fino y solía captar olores que a los demás les pasaban inadvertidos.

—¿Y el gato de ayer? —preguntó Teo—. ¿También le habrá olido?

—No. Los gatos no tienen buen olfato. Habrá notado otra cosa.

—¿El qué?

—No tengo ni idea.

* * *

A la caída de la tarde llegaron a Bourge-d'Oisans. A la entrada del pueblo vieron un pequeño albergue un tanto aislado, donde cenaron y pasaron la noche. En cuanto Haum hubo cerrado los ojos, Sergio se unió a Xolotl y Teo, en su cuarto, para charlar un rato.

—Bueno —dijo nada más cerrar la puerta—. ¿Qué opináis de Haum?

Xolotl tenía menos sueño que la víspera y fue el primero en responder:

—Que es casi como un camarada. Discreto, sonriente... Complaciente, simpático... Vamos, que empiezo a cobrarle afecto.

—¡Pero no es más que una máquina! —protestó Teo—. Con piel de buna y huesos de acero... Y unos músculos de no sé qué y un cerebro de microcircuitos. Un montón de engranajes...

—No, nada de engranajes —observó Sergio.

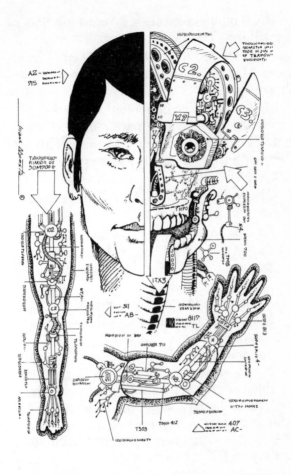

—Es igual, es una máquina y basta —insistió
Teo—. Será mejor no olvidarlo.

—Pues yo a veces me olvido —dijo Xo—.
Tengo que esforzarme para convencerme de que
es un robot.

—A mí me pasa lo mismo —comentó Sergio—. Es curioso...

Se calló y adquirió un aire reflexivo, como si buscase las palabras precisas para expresar su pensamiento.

—Si he comprendido bien —dijo por fin—, Haum está programado para sonreír constantemente. Lo debe llevar grabado en su memoria permanente. Es la sonrisa número 1...

—¿Y...?

—Si alguien le habla, algún microcircuito le hace ampliar su sonrisa...

—Esa es la número 2 —observó Xolotl.

—Sí, y a quien hable con él le resultará simpático por eso, y no sospechará que es un robot. Muy simple...

Teo no parecía muy convencido.

—Me parece una tontería —dijo—. ¿Para qué sirve eso? ¿Y qué finalidad tiene lo que estamos haciendo?

—No te entiendo... —insinuó Sergio.

—Pues es muy sencillo. Haum es un robot perfecto. Fuerte, resistente y nada peligroso. Hasta es capaz de leer... Bastaba con que el profesor le hubiese dado una serie de instrucciones por escrito y se las hubiese arreglado solo. Nosotros estábamos de sobra.

Sergio negó con la cabeza.

—No lo creo así —dijo—. En un momento u otro tendrá necesidad de nosotros. Las instrucciones escritas no lo pueden prever todo. Por eso el profesor ha acudido a nosotros. Nadie sabe lo que puede ocurrir. Cuando suponíamos que todo iría bien, han surgido sorpresas...

A la mañana siguiente, Sergio telefoneó al profesor a la misma hora que el día anterior. El teléfono estaba en un pequeño despacho, apartado del comedor donde habían desayunado. Sergio apareció de pronto y llamó a sus amigos:

—¡Teo! ¡Xo! Venid... El profesor Marcillac está en casa del profesor Mouret y quiere hablar con nosotros tres. Al parecer es importante...

—¿Y Haum? —dijo Teo—. ¿Qué hacemos con él?

—¡Ah, es verdad! —exclamó Sergio—. Haum —añadió—, espéranos aquí. No tardaremos en volver.

—Está bien —repuso el androide con su sonrisa habitual.

Echó a correr hacia el despacho y Xolotl y Teo le siguieron, cerrando la puerta al salir. Haum se quedó tranquilamente en el comedor, tomando su vaso de agua habitual.

La conversación telefónica fue bastante larga. Marcillac hizo primero unas cuantas preguntas a Teo, luego otras a Xolotl, mientras Sergio se preguntaba a qué venía todo aquello.

—¡Es curioso! —musitó Xolotl después de colgar—. No me explico para qué quiere saber tantos detalles de la excursión...

Hizo una pausa y añadió:

—En fin, vamos a reunirnos con Haum.

Volvieron al comedor, pero el androide no estaba allí.

VIII

*S*in perder un momento, Sergio corrió hacia la puerta del albergue y la abrió, justo a tiempo de ver una furgoneta que doblaba la curva de la carretera y desaparecía, demasiado aprisa como para poder leer la matrícula.

—¡Demonios! —rugió Sergio—. Se lo han debido llevar en esa furgoneta...

Volvió a entrar en el albergue y vio un muchacho en el que no había reparado antes, preocupado como estaba sólo por Haum. Era un muchacho rubio que se mantenía en pie junto a la mesa en que habían desayunado y respondía al comentario que, en voz alta, había hecho él.

—Sí, en efecto. Se ha ido en esa furgoneta.

Sergio se sobresaltó. Aquella voz... Una voz

extraña, un tanto ronca, que parecía burlarse al hablar... No, no era posible. No conocía más que a una persona que hablase así...

Sergio se acercó y reconoció a Denis, que no había distinguido bien porque estaba a contraluz. Teo también le reconoció.

—¿Te has teñido el pelo? —preguntó.

—No —respondió Denis—. Sólo me lo he decolorado. Con agua oxigenada, si eso te interesa...

Entonces, Sergio se dio cuenta de que iba vestido como él, con un jersey blanco, un pantalón gris y una cazadora de cremallera con dos bolsillos a los lados. Enseguida comprendió.

—Has sido tú el que le ha mandado montar en la furgoneta, ¿verdad?

—Sí —respondió Denis.

—Y te has vestido como yo y te has decolorado el pelo para que creyera que era yo... Sabías que ve mal y que no advertiría la suplantación.

—Exacto.

—Pero tu voz no se parece a la mía. ¿Cómo le has logrado engañar?

Denis no contestó enseguida. Miró a los tres amigos con sonrisa malévola y, displicente, dijo por fin:

—Muy fácil. Vais a ver...

Metió una mano en uno de los bolsillos de la cazadora y manipuló algo en el interior. Se oyó un ligero «clic» y, luego, la voz de Sergio:

«Escucha, Haum. Vas a hacer exactamente lo que te voy a decir. Hay una furgoneta a la puerta del albergue, con un hombre al volante. Vas a montar en la camioneta, detrás, y esperarás a que...»

Se oyó otro «clic» y se extinguió la voz. Sergio comprendió enseguida.

—Muy astuto... Llevas en el bolsillo un pequeño magnetófono y has compuesto esas palabras mías con la banda sonora que me hiciste grabar el otro día...

—Exacto —respondió Denis.

—Y tu padre lo sabe, pues nos ha entretenido al teléfono para que tú...

—Sí.

—¿Y para qué has hecho esto? ¿Para divertirte?

Denis sonrió enigmáticamente y, señalando con un dedo su pelo decolorado, dijo:

—¿Crees que me divierte pasearme por ahí con un pelo amarillo como la estopa?

—No es tan horrible mi pelo...

Sergio estuvo a punto de hacer un comentario mordaz, pero no quiso envenenar las cosas y añadió simplemente:

—Supongo que pensarás darnos alguna explicación... ¿Ha sido tu padre el que lo ha organizado todo?... ¿Acaso ha reñido con el profesor Mouret?

—No, no ha reñido —contestó Denis—. Es mucho más sencillo... Ya sabéis que fue mi padre quien construyó el cerebro de Haum, ¿no?

—Sí. ¿Y qué?

Sergio había empleado un tono desafiante, sin querer. Volvió la cabeza y vio que Xolotl le indicaba que hablase más bajo, al tiempo que señalaba la puerta del despachito, que estaba entreabierta. Denis también lo vio y habló en voz baja, para que nadie se enterase.

—Mi padre tiene confianza en su trabajo y está convencido de que Haum es capaz de arreglárselas solo. No necesita niñera, y menos tres... Era estúpida esta excursión. Por eso ha decidido liberar a Haum. Eso es todo.

—¿Todo?

—Sí. No hay más. Así mi padre podrá probar que su androide no necesita protección.

—Un experimento, vamos...

—Eso. Dentro de unos días recupero a Haum y se lo llevo al profesor, envuelto en papel de celofán y con un lazo rosa. Bonito ¿no?

Sergio no respondió. ¿Decía Denis la verdad? ¿Era eso lo que le había ordenado su padre?

—¿Y nosotros, qué? —preguntó.

—No hay problema. Proseguís vuestra excursión, sin Haum, y ya está.

—¡Ni hablar! —protestó Sergio—. El profesor nos confió a Haum y no podemos abandonarle así.

Denis volvió a sonreír malévolamente. Tenía todos los triunfos en su mano, y lo sabía...

—No me hagas reír —dijo—. Habéis dejado que se os escape, ¿no?... ¿Cómo vais a recuperarle?

—Ya veremos...

—Pero no sabéis dónde está, y yo sí.

—¿Y si no te obedece?

—Me obedecerá. Además...

—Le has puesto un detector, ¿no?

—No. Algo mucho mejor.

—¿El qué?

Denis estaba eufórico, pero no era tonto. Sabía que Sergio trataba de tirarle de la lengua y se mostraba prudente.

—Si piensas que te lo voy a decir, estás listo —musitó.

—Tratas de engañarme —insistió Sergio—. No lleva nada...

—Ni falta que le hace. Es algo suyo, algo que hace que por donde pase deje un rastro...

Denis parecía muy seguro de sí mismo, y Sergio intuyó que no mentía, que podría encontrar al androide cuando quisiera. Pero algo fallaba, algo que no sabía lo que era...

—¡No me cuentes cuentos chinos! —exclamó Sergio—. Si eres capaz de localizar a Haum a distancia, ¿por qué el profesor recabó nuestra ayuda para encontrar a Kwik?

Denis se echó a reír.

—Hay un montón de cosas que no sabes —dijo—. Haum no es como Kwik... Podré encontrarle, ya lo verás... Y ya basta —añadió, haciendo ademán de irse—. No te pienso contar nada más. Me largo. Tengo muchas cosas que hacer...

* * *

Denis había escondido su velomotor tras un matorral, cerca del albergue. Sergio y sus amigos oyeron cómo lo ponía en marcha y se alejaba, en dirección a Grenoble.

—¿Qué hacemos? —preguntó Teo.

Xolotl no hizo ningún comentario. Sabía que Sergio no se daría por vencido.

—Hemos perdido el primer asalto —dijo Sergio—, pero no la pelea. Ganaremos. Encontraremos a Haum...

Sacó un mapa de la mochila y lo desplegó sobre la mesa.

—¿Crees que vas a adivinar dónde está Haum? —preguntó Teo.

—Ya veremos. Estamos en la nacional 21 y la furgoneta se fue hacia el Este... No irá muy lejos.

—¿Por qué?

—Porque es una furgoneta alquilada. Si tuviese que recorrer muchos kilómetros, sería muy caro. Espero que sea de Briançon.

—¿Y por qué de Briançon?

Sergio tardó en responder. Examinó el mapa, silbando entre dientes un trozo de la «Sinfonía Incompleta» —señal de que trataba de concentrarse— y dijo:

—Haum pesa demasiado para viajar en auto. Si quieren enviarle lejos, tendrá que ir en tren. En esta región no hay muchos pueblos con estación. La más próxima es la de Briançon. Así que podríamos ir allí...

* * *

No había apenas tráfico ese día en la nacional 21 y los coches parecían poco dispuestos a pararse, así que los tres muchachos tuvieron que esperar bastante hasta que un conductor complaciente los recogió. Era casi mediodía cuando llegaron a la estación de Briançon. Se dirigieron al empleado que atendía la ventanilla del despacho de billetes, que les informó sin vacilar.

—¿Un vietnamita?... Sí. Me acuerdo muy bien. Tomó un billete para Manosque...

Sergio sonrió triunfalmente.

—Estaba seguro de dar con él —exclamó—. Un vietnamita no pasa inadvertido así como así. Bien, antes de que se haga de noche le habremos recuperado.

Estudió el horario de trenes, examinó detenidamente el mapa y se desinfló:

—Esto no marcha —musitó—. ¿Por qué iba a ir a Manosque? No se tiene de pie...

—¿Qué le pasa a Manosque? —preguntó Xo.

—Nada. Que está demasiado lejos. Ten en cuenta que Denis no tiene por qué enviar a Haum al quinto pino. Creo que es una trampa...

—¿Para nosotros?

—Claro. Denis sabía que no abandonaríamos la partida y que vendríamos a Briançon, a hacer pesquisas. Así que tomó sus precauciones. Haum ha sacado billete para Manosque, pero se bajará antes del tren. Ahora bien, ¿en qué estación?

Sergio volvió a revisar los horarios. Luego dijo:

—No cabe hacer más que una cosa: preguntarle al revisor que iba en el tren que ha tomado Haum. Quizá recuerde dónde se ha bajado.

—De acuerdo, pero ¿cómo localizarle?

—Mira el horario —respondió Sergio—. El revisor irá seguramente hasta el final de la línea y volverá por la tarde. Lo cual quiere decir que mañana irá en el mismo tren, así que lo tomaremos y le preguntaremos...

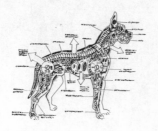

IX

S ergio no se había equivocado. Haum no
había llegado a Manosque. Se había
bajado del tren en Gap, siguiendo dócil-
mente las instrucciones que Denis le había dado
unas horas antes: «Descenderás en Gap —le
había dicho— y saldrás de la estación. Podrás
hacer lo que quieras, pero sin salir del pueblo. Yo
te buscaré más tarde para decirte lo que debes
hacer. ¿Has comprendido?», Haum había res-
pondido que sí y había obedecido al pie de la
letra. Al salir de la estación de Gap había estado
paseándose por las calles, sin abandonar el casco
urbano. Hacia las cuatro de la tarde, había recorrido ya todas las calles de la ciudad, observán-
dolo todo con su mirada inexpresiva. Se
encontraba en la avenida Carnot cuando sintió

72

sed, y, viendo un café tranquilo, se sentó en una mesa de la terraza y pidió agua mineral. No había hecho más que beber un sorbo cuando otro cliente vino a sentarse a la mesa de al lado. Era un muchacho de unos quince o dieciséis años, que llevaba atado con una correa un espléndido «briard fauve», uno de esos perros pastores de pelo largo que les cubre los ojos y uno no se explica cómo pueden ver. El chico pidió un vaso de leche merengada y el perro se echó a su lado, con la cabeza entre las patas delanteras, y cerró los ojos como si se fuera a dormir.

Pasaron dos o tres minutos y, de pronto, el perro abrió los ojos, alzó la cabeza, olisqueó y gruñó sordamente.

—¡Cállate, Rogg! —susurró el muchacho, extendiendo un brazo para acariciar al animal.

Poco después, Haum hizo un movimiento y el perro volvió a alzar bruscamente la cabeza. Olfateó de nuevo, se levantó y se acercó lentamente al androide, como receloso. Debía intrigarle el olor a buna, o alguna otra cosa. Haum, por su parte, miraba al animal sin el menor nerviosismo.

—No te preocupes —dijo el muchacho—. No muerde.

Pero, en ese momento, el perro abrió la boca enseñó los dientes y amenazó al androide.

—¡Rogg! —gritó el joven—. ¡Echate! ¡Vamos!

El perro no obedeció, pero Haum, con gesto rápido y preciso, extendió un brazo y agarró al animal por el cuello, manteniéndolo a distancia con energía. El *briard* empezó a aullar y a debatirse, pero Haum lo tenía completamente inmovilizado. El muchacho, por su parte, estaba desconcertado.

—¿Te ha mordido? —dijo.

—No —respondió el androide.

El perro continuaba aullando y Haum lo mantenía a raya, sujeto por el cuello y mirándole a los ojos. El animal se fue calmando poco a poco, como dándose por vencido. Bajó la cabeza y se calló. Haum, entonces, le obligó a sentarse, sin dejar de sonreír. Enseguida, el muchacho tiró de la correa, atrajo al perro hacia sí y le obligó a echarse al otro lado de la silla en que estaba sentado.

—¿De verdad que no te ha mordido? —insistió.

—No —respondió Haum.

—Extendió sus brazos y mostró las manos al muchacho para que viese que no tenía ninguna herida.

—Ha sido todo tan rápido —dijo el chico—. No he tenido tiempo de sujetarle...

Hizo una pausa y añadió:

—No me explico lo que le ha pasado. Nunca ha mordido a nadie. Es la primera vez que...

Rogg se había calmado bastante. De vez en cuando alzaba la cabeza y miraba a hurtadillas al androide, como con recelo o con miedo.

—No sé cómo excusarme, de verdad —concluyó el muchacho.

—No tiene importancia —afirmó el robot, sonriendo.

El muchacho empezaba a estar intrigado. Nunca había visto unos movimientos tan rápidos, tan precisos, ni una calma tan grande. ¿De dónde habría salido este vietnamita tan raro?...

Decidió presentarse.

—Me llamo Bernardo —dijo—. Bernardo Sauzel. Mi padre es médico y vivo al otro extremo de la ciudad.

—Yo me llamo Haum —respondió el androide ampliando su sonrisa (la número 2).

Bernardo, entonces, decidió hacerle algunas preguntas.

—¿No eres de aquí?

—No. Nací en Phan-Thiêt, pero me trajeron a Francia siendo muy pequeño.

—¿No sabes hablar en tu lengua?

—No.

Haum respondía con sencillez, sin vacilar. Su memoria permanente funcionaba a la perfección. Bernardo, poco a poco, se había ido tranquilizando. «Al fin y al cabo, no es tan raro. Lo único sorprendente es la rapidez de los reflejos, pero estos orientales suelen reaccionar muy deprisa, aunque parecen insensibles...»

Bernardo, entonces, le contó cosas personales, haciendo al mismo tiempo algunas preguntas. Así transcurrió cerca de una hora, durante la cual la actitud de Rogg fue cambiando lentamente. Se levantó, se fue acercando a Haum y acabó por echarse a sus pies. El androide, entonces, le acarició la cabeza y el cuello, y el perro se puso a menear la cola.

—Bueno, parece ser que se ha calmado —dijo Bernardo—. Esta es su actitud habitual. No me explico lo que ha pasado.

Haum continuaba acariciando al can, como absorto.

—¿Estás solo en la ciudad? —le preguntó Bernardo.

—Sí.

—¿Y cuánto tiempo piensas quedarte?

—No sé. Unos amigos van a venir a buscarme. Me iré con ellos.

—¿Cuándo vendrán?

—No sé. Mañana... O pasado.

Bernardo se calló, como si estuviera reflexionando. Haum parecía bueno y discreto. «Es simpático. Rogg ha querido morderte y ni siquiera ha protestado... Ahora están a partir un piñón».

Sin embargo, había algo que le desconcertaba, sin saber por qué.

—¿Dónde piensas alojarte? —preguntó Bernardo.

—No sé —respondió Haum.

—Oye, he pensado una cosa: mis padres se han ido de viaje y estoy en casa. ¿Quieres acompañarme?

—Sí, muchas gracias —repuso el androide sin vacilar.

Mientras eso sucedía, Sergio y sus compañeros vagaban por las calles de Briançon, haciendo tiempo. Luego buscaron un hotel modesto, donde cenaron y reservaron dos habitaciones.

—¿Dónde pasará la noche Haum? —preguntó Teo.

—Denis se ocupará de él —repuso Xolotl.

—No creo —dijo Sergio—. Si no he entendido mal, el profesor Marcillac quiere dejarle completamente solo, para que resuelva por su cuenta...

—¿Llevará dinero? —preguntó Teo.

—Un poco —repuso Sergio—, pero no creo que le llegue para pagar un hotel... A menos que Denis le haya dado más, lo cual me extrañaría...

—Y si no tiene dinero, ¿qué hará?

—Se las arreglará, ya lo verás. Marcillac quiere ponerle en una situación límite para obligarle a tomar una decisión.

—¿Por cuánto tiempo?

Sergio se encogió de hombros y se mantuvo en silencio, como tratando de adivinar lo que el androide podría hacer.

—Puede pasar la noche al raso tranquilamente —dijo por fin—. No olvides que no pasa frío ni necesita comer. Beber, puede hacerlo en una fuente, o en un río...

—Si es así, puede mantenerse solo durante meses... —dijo Xolotl.

—Seguramente. Sólo que su ropa se ensuciará y se romperá...

Los tres muchachos terminaron de cenar en silencio, sumidos en sus propios pensamientos, hasta que Sergio, sin duda más preocupado que Teo y Xolotl, añadió:

—A mí lo que más me inquieta es esta incertidumbre. Hay cosas de las que las hojas de instrucciones no dicen nada. ¿Por qué los perros y los gatos se ponen nerviosos al acercarse a él?

—Debe ser el olor, ya os lo he dicho —comentó Xolotl—. U otra cosa, aunque no sé cuál...

Se produjo otro largo silencio. Luego Xolotl, tras vacilar un poco, añadió:

—No acabo de entender lo que dijo Denis...

—¿El qué?

—Que podría encontrar a Haum estuviera donde estuviese. ¿Mentía o decía la verdad?

—¡Vete tú a saber! —exclamó Sergio—. No hay quien sepa si habla en broma o en serio...

—Sin embargo, cuando dijo que dejaba un rastro, creo que decía la verdad —observó Xolotl—, ¿Qué clase de rastro podrá ser?

Sergio adivinó lo que estaba pensando su amigo.

—Estás pensando en el gato —dijo—. Un rastro que no sea un olor, puesto que los gatos no tienen buen olfato, ¿no es eso?

—Sí, pero...

—¿Qué?

—No sé.

Teo intervino en la conversación.

—A mí es otra cosa lo que me preocupa —dijo.

—¿El qué?

—Lo que le vas a decir al profesor Mouret, cuando le telefonees mañana...

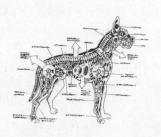

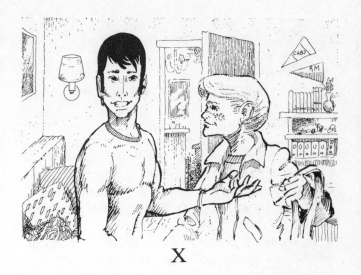

X

De regreso a su casa, con Haum, Bernardo quiso aclarar las cosas.

—Quiero advertirte —dijo— que tendremos que hacernos la comida. ¿Vale?

—Sí, pero yo no tengo hambre.

—No seas finolis. Puedes comer lo que te apetezca. De lo que hay en la nevera, claro... ¿Quieres que haga una tortilla de seis huevos? Sé hacerlas, te lo aseguro...

—Gracias, pero no tengo hambre...

Esta vez, Bernardo pensó que era una delicadeza excesiva.

—¡Vamos, hombre!, —exclamó—. ¿No ves que hay leche, huevos, queso y fruta? Puedes comer lo que te apetezca...

—Gracias, pero no tengo hambre —repitió el androide.

—¿Es que estás enfermo?

—No, es que no tengo hambre.

Bernardo no salía de su asombro.

—¿Es que estás empachado? —preguntó.

—Sí —respondió el androide, que sabía mostrarse evasivo.

—Comprendo...

Mientras Bernardo se hacía una tortilla, Haum llenó un vaso de agua que se bebió de un sorbo; el chico le miraba con el rabillo del ojo, admirado de la precisión de sus movimientos. «Es curioso», pensó. «No ha derramado ni una gota. Es tan silencioso como un felino».

Después de la frugal cena, Bernardo trató de charlar un poco, pero la conversación alcanzó enseguida un punto muerto. Haum respondía escuetamente a las preguntas, pero no hacía ninguna. «No parece interesarse por nada», pensó el muchacho.

—¿Sabes jugar al ajedrez? —le preguntó, para romper el hielo.

Haum respondió que no y Bernardo, tras vacilar unos instantes, le dijo que podía enseñarle, si quería. Haum aceptó, con su habitual sonrisa.

El aprendizaje fue bastante laborioso. El androide no tenía ni idea de lo que era el ajedrez, algo que sin duda al profesor Marcillac se le había escapado. «Ni siquiera sabe lo que es un alfil, ni una torre», pensó el muchacho. «¿De dónde habrá salido este tío?»

La partida terminó con un jaque-mate rapidísimo y Bernardo empezaba a aburrirse y a lamentar haber invitado al vietnamita.

—Se hace tarde —dijo—. ¿Te parece que nos acostemos?

—Sí —repuso Haum lacónicamente.

—De acuerdo. Vamos al piso de arriba. Puedes dormir en la habitación de mi hermano.

—¿No está?

—No. Se fue de viaje con mis padres.

Bernardo vaciló unos instantes. Luego añadió:

—Está de vacaciones, ¿sabes? A mí me han suspendido en un par de asignaturas y he tenido que quedarme a estudiar, hasta septiembre. ¿Comprendes?

—Sí.

—Ven. Te mostraré mi cuarto. Coge tu mochila...

* * *

Bernardo se despertó al oír los aullidos del perro —más bien débiles gemidos—, pero al principio no hizo demasiado caso. Dio varias vueltas en la cama y procuró volver a dormirse, pero los gemidos de Rogg proseguían. El perro solía dormir en la cocina y la habitación de Bernardo caía justo encima, de forma que le llegaban perfectamente los aullidos, así que terminó por levantarse; encendió la luz y miró la hora: eran las doce y media. «Voy a ver lo que pasa», se dijo.

Se puso las zapatillas y bajó, procurando no hacer ruido. Cuando entró en la cocina, encontró al perro muy nervioso.

—¿Qué te pasa, Rogg? —le dijo, acariciándo\[e\] el lomo.

El perro se calmó un poco y Bernardo logró que se tumbara. «No lo entiendo», pensó. «Nunca llora así, no es normal... ¿Qué le pasará?»

De pronto, se le ocurrió una explicación: Haum había debido bajar a la cocina para comer algo y Rogg se había asustado... Así que abrió la nevera, pero no tardó en comprobar que no faltaba nada. Estaba intacta...

Un tanto inquieto, decidió comprobar si Haum estaba en su cuarto, así que ordenó a Rogg que no se moviera, salió de la cocina, cerró la puerta, subió las escaleras y se asomó a la habitación de su hermano, entreabriendo la puerta.

—¡Haum! ¿Estás ahí? —susurró.

No obtuvo respuesta. La repitió, con el mismo resultado, y, tras dudar un poco, entró en la habitación. En la penumbra, no tardó en descubrir

que Haum estaba en la cama y parecía dormir a pierna suelta. «Está como un tronco», se dijo.

A pesar de todo, Bernardo sospechaba que había algo anormal en aquel profundo sueño, así que se acercó al lecho para escuchar la respiración del vietnamita, reteniendo el aliento.

Era inaudito: nada; ni el menor soplo, ni el menor movimiento del pecho... Con el corazón en la boca, gritó:

—¡Haum! ¡Despierta!

En ese mismo momento, Bernardo notó un olor extraño (el de la buna) que no fue capaz de identificar. Reculó unos pasos, porque el vietnamita seguía inmóvil, como muerto, y rompió a sudar, angustiado. ¿Qué hacer?... Salió de la habitación, tembloroso, cerró la puerta y bajó la escalera de cuatro en cuatro. Una vez en el salón, cogió la guía telefónica y se puso a buscar un médico, a trompicones, murmurando: «No es posible... no... no puede ser. ¿Cómo ha podido ocurrirme esto?»

Encontró lo que buscaba, descolgó el auricular y marcó un número. Tuvo que repetir tres veces la operación, porque temblaba como un poseso.

Tras sonar varias veces el ring-ring correspondiente, oyó una voz femenina al otro lado del hilo. «Servicio de urgencia. ¿Diga?».

Bernardo, entonces, se volvió atrás repentinamente.

—Perdone. Me he equivocado —dijo.

Y colgó enseguida. Se llevó las manos a la

cabeza, con inenarrable angustia, murmurando: «¿Qué puedo hacer, Dios mío?»

De pronto, se estremeció. Rogg estaba arañando la puerta de la cocina y gruñía débilmente. Se levantó, le abrió y volvió a sentarse en un sillón, murmurando: «¡Si supieses lo que pasa, Rogg!»

Bernardo necesitaba hablar con alguien, aunque fuese un perro, y contarle lo sucedido.

—No sé qué hacer, Rogg. No respira y no he logrado encontrarle el pulso. Me he asustado tanto que no he podido...

Alzó la cabeza y lanzó un suspiro, con la mirada perdida en el infinito.

—Pero, a pesar de todo, creo que no está muerto. Por eso he colgado después de llamar al servicio de urgencia del hospital. Hay algo muy raro en todo esto...

El perro se había sentado a los pies de su amo, con la cabeza apoyada en las patas delanteras, como si estuviera escuchando.

—Mira, Rogg: tengo la impresión de que Haum no es como nosotros, que viene de muy lejos, ¿sabes?... Desde luego, no del Vietnam. Le he levantado un brazo y pesaba como el plomo...

Hizo una pausa y añadió:

—Tiene que ser un extraterrestre, un ser de otro planeta, un... hombre... que no respira, ni come. Se parece externamente a nosotros, sí, pero a lo mejor es sólo pura apariencia, un disfraz o algo parecido... No sabes lo que daría por saber de dónde viene...

La voz de Bernardo era otra. Estaba pensando en todo lo que había leído sobre extraterrestres y recordaba novelas y películas. ¿Vendría de Marte, de Venus, de Saturno? ¿O tal vez de un sistema planetario distinto?... Sí, seguramente. Debía proceder de un planeta lejano, misterioso y frío...

De pronto, reaccionó.

—Sea como sea —dijo—, no debo sacarle de aquí, ni permitir que nadie lo vea, Rogg. Tengo derecho a guardar el secreto. No puedo traicionar a Haum. Si hubiese querido que supiera que es un extraterrestre me lo habría dicho...

Bernardo parecía un poco más sereno, como si la «conversación» con Rogg le hubiese tranquilizado.

—Lo que no me explico, Rogg, es por qué quisiste morderle. ¡Si no te había hecho nada! ¿Qué descubriste en él?... ¿Alguna mala intención, alguna trampa?...

Acarició una vez más al perro y se puso en pie, con aire decidido.

—Sea lo que sea, no diré nada a nadie, Rogg. Anda, vuelve a la cocina y duérmete. Yo voy a acostarme. Mañana será otro día. Haum ha dicho que esperaba a unos amigos. Ya veremos si vienen a buscarle o se va él para salir a su encuentro...

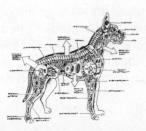

XI

A las siete de la mañana, Bernardo se despertó, como todos los días. Se levantó, se duchó y se vistió deprisa. Luego fue a buscar a Haum, pero el androide ya no estaba en su habitación. Bernardo lo encontró en la cocina, acariciando a Rogg, que parecía admitir de buena gana sus caricias.

—Buenos días, Haum. ¿Has dormido bien?

El androide respondió gentilmente que sí, con la mejor de sus sonrisas (la número 2). Viéndole tan normal, tan tranquilo, el muchacho volvió a quedar desconcertado. «Lo de anoche ha debido ser una especie de pesadilla», pensó. «Es tan extraterrestre como yo...» Miró fijamente por la ventana y vio que llovía.

—¡Asqueroso tiempo! —murmuró.

Y se puso a preparar el desayuno.

—¿Vas a tomar algo?

—No, gracias —repuso Haum—. No tengo hambre.

—¿Ni siquiera un poco de café?

—No, gracias. Ya he bebido un vaso de agua.

Bernardo se preguntó si el vietnamita no habría tomado algo a hurtadillas. Dudó un poco y decidió no insistir, aunque no faltaba nada de comida. «No, no he soñado —se dijo—. Es un extraterrestre, no cabe duda».

Cuando terminó de desayunar, Bernardo miró por la ventana otra vez. Seguía lloviendo; una lluvia fina y copiosa, que debía calar hasta los huesos a quienes tuvieran que estar a la intemperie. «¿Cómo voy a decirle que se vaya?», se preguntó el muchacho.

—¿Piensas irte? —le dijo Bernardo.

—No —repuso Haum.

—Pero tus amigos tal vez te anden buscando...

—No —contestó el androide—. Averiguarán dónde estoy, cuando lo deseen...

—¿Sí?... —exclamó Bernardo, asombrado.

Estuvo a punto de preguntarle cómo, pero no quiso mostrar su extrañeza y añadió simplemente:

—Entonces piensas quedarte aquí mientras siga lloviendo...

Haum volvió a contestar que sí.

Bernardo no sabía que la lluvia no afectaría a su piel de buna, completamente impermeable, que nada le impedía irse, salvo la orden que había recibido de Denis, haciéndose pasar por Sergio.

—Está bien, quédate —concluyó Bernardo—. Pero no podré darte conversación, porque tengo que estudiar, así que vas a aburrirte un rato largo...

Se quedó pensativo unos instantes y enseguida exclamó:

—¡Ya sé! Voy a dejarte un libro para que aprendas a jugar al ajedrez. Así nos entretendremos esta noche. ¿Vale?

—Sí —repuso Haum sonriendo.

* * *

Aquel día, tras desayunar, Sergio estaba optimista, seguro de encontrar a Haum antes de la noche. Apuró su taza de café con leche y dijo:

—Lo primero de todo es resolver el problema de la llamada al profesor.

—¿Qué vas a decirle? —preguntó Teo.

—Nada —respuso Sergio—. No pienso telefonearle. Mañana, cuando todo esté resuelto, le diré que me fue imposible telefonearle hoy...

—¿Crees que eso está bien?

Sergio no respondió enseguida. Tras reflexionar unos instantes, añadió:

—No, no está bien, pero ¿qué pasaría si le dijera la verdad?... Es muy grave lo que ha hecho Denis. Si se lo digo al profesor, va a tener un disguto con Marcillac, lo cual será todavía peor...

—Tienes razón —admitió Teo—. Pero mañana, a lo mejor...

—Mañana —le cortó Sergio— Haum ya estará con nosotros y no tendré necesidad de mentir.

—¿Y si no le encontramos?

—En ese caso, ya me las arreglaré. Será mejor no pensar en esa posibilidad.

Sergio miró por la ventana y exclamó:

—¡Ahí va! ¿Habéis visto cómo llueve?

—Sí —repuso Xolotl—. Y no tiene trazas de escampar.

Los tres amigos tomaron el mismo tren en que suponían que Haum había viajado el día antes. El revisor confirmó a Sergio que había hecho el mismo servicio ayer, en el mismo tren.

—¿Observó usted si viajaba en él un joven vietnamita?

—Sí. Montó en Briançon.

—¿Y llevaba billete hasta Monasque?

—Sí, pero se bajó en Gap.

Sergio estuvo a punto de dar un grito de júbilo.

—¿Seguro? —preguntó Teo al revisor.

—Por completo. Incluso le advertí, cuando vi que se bajaba, que aquello no era Manosque.

—¿Y qué le dijo?

—Que ya lo sabía, pero que tenía que bajarse en Gap.

Sergio se quedó pensativo, contemplando el paisaje por la ventanilla, envuelto en la lluvia. Luego volvió a hacer una pregunta al revisor.

—¿Podría, con el mismo billete, tomar el

mismo tren hoy o mañana, y seguir hasta Manosque?

—Sí, pero cumpliendo una pequeña formalidad pasando por taquilla... Es raro, pero a veces se hace.

* * *

Nada más llegar a Gap, Sergio, Teo y Xolotl enfilaron la Avenida Foch para ir al centro de la ciudad. No habrían recorrido ni cien metros cuando se toparon con Denis, que se quedó boquiabierto. Enseguida comprendieron que no esperaba este encuentro. Sin duda le hubiese gustado pasar inadvertido, pero como era imposible, decidió afrontar la situación.

—¿Qué, de paseo? —bromeó—. Hace un tiempo espléndido para pasear...

Llovía a cántaros. Una lluvia fina y fría, odiosa.

—No exactamente —repuso Sergio, en el mismo tono de broma—. Hacemos turismo, como tú... ¿Piensas permanecer mucho tiempo aquí?

—Nunca se sabe —repuso Denis, evasivo—. Puedo irme ahora mismo o quedarme una semana, si este pueblo me gusta.

Rió sarcásticamente y les dijo adiós. Sergio le vio alejarse con paso decidido y murmuró a media voz:

—Si está aquí es que Haum se encuentra también en Gap. Estamos en buen camino, pero todavía no hemos ganado. ¿Habrá encontrado ya a Haum? ¡Si pudiera saber qué está planeando ese alcornoque!

Xolotl dejó de mirar a Denis, que estaba ya muy lejos, y dijo:

—Sí, nunca se sabe lo que puede estar maquinando un tipo tan raro...

* * *

Mientras estudiaba, Bernardo vigilaba a Haum. Cada vez que levantaba la cabeza, le veía enfrascado en el libro sobre el ajedrez.

—¿Te gusta? —le preguntó de pronto.

—Sí —respondió Haum, sin mirarle.

A mediodía, cansado de estudiar, Bernado trató de entablar conversación con su misterioso huésped.

—¿Cuánto tiempo has vivido en Vietnam? —le preguntó.

—No sé. Nací en Phan-Thiet, pero me trajeron a Francia cuando era muy pequeño.

Era lo mismo que le había dicho el día anterior. «Es curioso», pensó Bernardo. «Parece un disco rayado...» Luego le hizo otros preguntas y Haum repitió lo que ya le había dicho en otras ocasiones. Harto y desconcertado, trató de olvidarse del tema. «Tengo que seguir estudiando...» Miró por la ventana, comprobó que seguía lloviendo y volvió a los libros de texto con desgana.

«Es verdaderamente extraño», pensó. «¿Cómo podrá sostenerse, si no come?»

XII

*T*ras recorrer la ciudad de cabo a rabo, a la caída de la tarde Sergio y sus amigos reservaron una habitación y cenaron en un pequeño motel próximo a la plaza de Saint-Arnoux. Después de cenar, subieron a su habitación para charlar un rato a solas.

—¡Un día perdido! —gruñó Sergio mientras se ponía el pijama—. No ha parado de llover y nos hemos calado, sin ningún resultado...

Mientras se desnudaba, Xolotl no cesaba de olisquear la ropa.

—Huele a perro mojado —dijo con desgana—. Y lo malo es que no tiene trazas de mejorar mañana...

—¡Basta! —cortó Sergio—. Ya está bien de

lamentaciones... ¡Maldito Denis! Como le eche la vista encima, lo... lo estrangulo.

Teo, sin embargo, no parecía enojado.

—Tranquilo, Sergio —dijo—. Denis está como nosotros.

Habían vuelto a encontrárselo, después de comer, y por su aspecto, se habían dado cuenta de que estaba tan despistado como ellos.

—¡Menudo consuelo! —exclamó Sergio—. Eso no nos ayuda a encontrar a Haum. Hemos preguntado en todos los hoteles y en ninguno habían visto a un vietnamita. Sabemos que no ha pisado un hotel, pero nada más.

—Pero sabemos que está aquí, en Gap —repuso Teo—. Si no, Denis se hubiese ido.

—Sí, pero hay miles y miles de sitios en que puede estar —dijo Sergio—. No podemos ir casa por casa preguntando por Haum...

Se produjo un largo silencio, hasta que Sergio dijo a media voz, como hablando consigo mismo:

—Me doy por vencido. Mañana llamaré al profesor y se lo contaré todo...

Xolotl, como de costumbre, escuchaba sin intervenir apenas. Por fin, se decidió a hablar.

—Estoy pensando —dijo— en la actitud de Denis, ayer, cuando se presentó en el pequeño albergue de Bourg d'Oisans... Estaba radiante, triunfal, como si fuera un personaje. ¿Os acordáis?

—Sí —respondió Sergio—. ¿Y qué?

—Que en momentos de euforia, como ése, se suele hablar demasiado... Si pudiéramos recordar lo que dijo, palabra por palabra, tal vez diéramos con la clave...

Sergio se encogió de hombros, escéptico, y no dijo nada. Fue Teo el que reaccionó, tras reflexionar un breve rato.

—Me parece que ya me acuerdo —dijo—. Denis nos aseguró que Haum no era como Kwik, que el perro no dejaba ningún rastro, pero el androide sí... Si averiguásemos qué tipo de rastro deja...

—No creo que haya gran diferencia —objetó Sergio—. Al fin y al cabo, el perro sirvió de modelo para fabricar al androide. Tienen los mismos huesos de acero, la misma clase de músculos... ¿Dónde está la diferencia?

—Pues tiene que haberla —insistió Teo—. Denis no mentía en eso. Dijo que era algo que formaba parte de Haum, que no se podía suprimir...

De pronto, Sergio dio un salto y lanzó un grito.

—¡El reactor nuclear! ¡Esa es la diferencia! ¡Eso lo explica todo!

Estaba transformado. En un instante, había pasado del abatimiento al entusiasmo, a una desbordante alegría.

—¿Qué es lo que explica? —preguntó Xolotl, sorprendido.

—Escuchad —dijo Sergio—: Haum obtiene su energía de un pequeño reactor de plutonio que lleva en la tripa. Pero el plutonio es radiactivo, muy radiactivo...

—Algo sumamente peligroso —objetó Teo.

—No lo creas —objetó Sergio—. El reactor va envuelto en una funda de plomo que detiene la radiactividad, aunque no del todo...

—¿No? ¿Por qué?

—Porque el plomo es muy pesado y, para evitar el paso de toda radiactividad, la funda de plomo tendría que ser gordísima... Pero Haum ya pesa mucho por sí mismo y una funda así aumentaría considerablemente su peso. Si esa funda no es todo lo gruesa que debiera ser, Haum tiene que ser ligeramente radiactivo.

—¿Y eso le hace peligroso?

Teo parecía inquieto. Había sufrido quemaduras radiactivas en una ocasión y estaba escamado. Sabía que los cuerpos radiactivos emiten partículas radiactivas invisibles, pequeñísimas, sumamente peligrosas, y no le hacía ninguna gracia. Xolotl, por su parte, desconfiado por principio, también estaba escamado, así que Sergio comprendió que debía tranquilizar a sus amigos.

—No creo. El profesor no habría cometido la imprudencia de endosárnoslo si lo fuera. Llevará plomo suficiente para evitar todo riesgo, pero no para evitar que la poca radiactividad que emite sea detectada con un contador Geiger.

—De acuerdo —dijo Teo—. ¿Y a qué distancia se podrá detectar esa radiactividad?

—A unos dos o tres metros, calculo. No más.

—Lo cual quiere decir que no se puede detectar su presencia a distancia... ¿Cómo se las arreglará Denis?

—¡Ahí va! —exclamó Sergio—. Tienes razón. No había pensado en eso...

Se produjo un largo silencio, que rompió Teo.

—Bien. ¿Qué hacemos? —dijo.

—Tengo una idea —respondió Sergio—. Mañana telefonearé a mi padre para que nos diga qué podemos hacer. Ahora, lo mejor será que nos acostemos.

* * *

Por la tarde, Bernardo casi logró olvidarse de Haum, que continuaba leyendo el libro sobre el ajedrez impertérrito, en absoluto silencio. A la hora de la cena, el chico fue a la despensa, para ver lo que había.

—Me apetece tomar *ravioli* —dijo mirando a Haum—. ¿Qué quieres tomar tú?

—Nada, gracias. No tengo hambre.

Bernardo ni siquiera se sorprendió. En el fondo, aguardaba esa respuesta. «Espero que, si alguna vez tiene hambre, no me pida matarratas o un poco de arsénico...» Abrió la lata de *ravioli* sin insistir ya más, los calentó un poco y se los comió sentado a la mesa, cerca de Haum, que le miraba de vez en cuando. Luego lo puso todo en su sitio y dijo:

—Se acabó. Hoy ya no estudio más... Si no lloviera, sacaría un poco al perro, pero no me quiero empapar. ¿Te apetece jugar una partida de ajedrez?

—Sí.

Colocaron las fichas en el tablero y Rogg se tumbó a los pies de Haum, que empezó a acariciarle con delicadeza. Bernardo se extrañó. «¿Por qué se colocará junto a Haum?», pensó. «Ayer quería morderle, y hoy...»

—Bien, te tocan las blancas —dijo—. Empieza.

Haum no vaciló. Se puso a jugar deprisa, tan deprisa que Bernardo se creyó obligado a decirle que convenía que pensara un poco antes de cada jugada.

—Ya pienso— respondió Haum.

Bernardo perdió un alfil y luego un caballo. «¿Qué demonios me pasa?», se dijo. «Debo haberme distraído...» Trató de concentrarse, pero no logró evitar que Haum le comiera una torre. «Ha aprendido mucho, el tío», se dijo Bernardo, un tanto amoscado. Luego perdió el otro alfil y sospechó que iba a perder la partida.

Cada jugada de Haum agravaba las cosas.

Movía poco las figuras, pero con absoluta precisión. De repente, el androide musitó: «Jaque».

Bernardo no salía de su asombro. Uno de los dos caballos blancos amenazaba a la vez al rey y a la reina con absoluta impunidad. «No hay nada que hacer, me ha cazado», pensó. Movió el rey y Haum le comió la reina. El chico avanzó su torre sin ninguna ilusión. El androide, entonces, avanzó un alfil un solo cuadro y repitió: «Jaque». Bernardo contempló las fichas, desolado. Era un jaque mate perfecto. No tenía escapatoria. Se quedó parado, mudo, rumiando su derrota.

—Está bien —dijo por fin—. Nunca nadie me había ganado tan deprisa. ¿Cómo lo has conseguido?

—Leyendo el libro que me has dejado.

—Yo también lo he leído. Me lo sé de cabo a rabo, pero no he logrado los mismos resultados.

Bernardo seguía dando vueltas a su derrota y, al mismo tiempo, pensando en cómo había logrado dominar a Rogg, el día antes. «Es muy enérgico... Y ágil. Y muy rápido. Y está seguro de sí mismo...»

—Juegas mucho mejor que yo —reconoció—. Veamos qué ponen en la tele...

Bernardo conectó el televisor y escogió un canal en el que estaban poniendo una película del Oeste.

—¿Te gusta? —le preguntó a Haum.

—Sí.

La película era tan mala como casi todas, pero se podía ver. Al cabo de un cuarto de hora, Haum se levantó.

—¿A dónde vas?

—A beber un vaso de agua. Tengo sed.

—Ah, bueno. Vale.

Al salir de la habitación, Haum pasó cerca del televisor y la imagen se borró. En cuanto empezó a alejarse, reapareció.

—¡Curioso! —musitó Bernardo.

¿Habría sido pura casualidad?... Pero era mucha casualidad... Aguzó el oído y escuchó: oyó el ruido del agua, al abrir el grifo, y luego nada. «Debe estar bebiendo... y ahora secando el vaso. No tardará en volver...»

Pasó de nuevo ante el televisor y la imagen volvió a borrarse. La pantalla se llenó de líneas y de puntitos brillantes. Luego, en cuanto Haum se sentó, todo volvió a la normalidad. Bernardo sintió como un vago escalofrío, pero no dijo nada. Se puso a mirar la película, procurando olvidarse de todo.

* * *

Cuando terminó la película, Bernardo, aburrido, desconectó el aparato y preguntó a Haum:

—¿Te ha gustado?

—Sí.

—Me alegro. ¿Nos acostamos?

—Sí.

Bernardo dejó que el androide subiera primero. Oyó cómo abría la puerta de su cuarto y volvía a cerrarla. «Bien», se dijo. «¿Y ahora qué hago?» Vaciló un poco y se rascó la cabeza maquinalmente. Estaba demasiado cansado para conciliar el sueño. Recorrió la habitación con los ojos, que toparon con Rogg, que parecía esperar algo. «Ah, me había olvidado de ti. Tengo que sacarte a hacer tus necesidades. Me vendrá bien estirar las piernas...» Se puso el anorak, enganchó la correa en el collar del perro y abrió la puerta de la calle, agachando la cabeza para protegerse de la lluvia. Dieron la vuelta a la manzana, despacio, y volvieron a casa. Bernardo se sentó en un sillón y el perro apoyó su cabeza en las rodillas del chico, que empezó a hablarle a media voz, como la noche anterior. «No sé qué pensar, Rogg. Esto no marcha... Estoy convencido de que es un extraterrestre, más fuerte y más inteligente que nosotros... Y más ágil... Y más listo. Podría jugarnos una mala faena, si quisiese...»

Bernardo apartó el pelo que cubría los ojos del *briard,* al tiempo que le acariciaba la cabeza. «¿Sabes?», continuó diciéndole. «Estoy hecho un lío... Parece tan correcto, tan servicial, tan amable... Pero, si quisiera, sería capaz de liquidarnos de un golpe...»

El chico se calló y echó un vistazo a su alrededor, como si temiera que Haum pudiera aparecer en cualquier momento.

«Me ha dicho que tenía amigos», musitó, «que vendrían a buscarle... ¿Y si fueran como él y trataran de...?»

Se echó hacia adelante y susurró al oído del perro: «Sí, estoy hecho un lío, Rogg. Tengo miedo, pero no quiero echarle, al menos mientras siga lloviendo...»

Se interrumpió de pronto y, en el silencio de la noche, oyó el repiqueteo de la lluvia en los cristales. Luego añadió:

«En fin, que sea lo que Dios quiera. Que se quede, a ver si descubro algo... ¡Me gustaría tanto saber de dónde viene!»

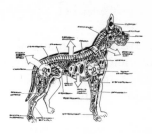

XIII

*A*l día siguiente, amaneció lloviendo. Al ver el cielo gris y el chirimiri que caía, Sergio se mostró satisfecho.

—¡Estupendo! —dijo—. El tiempo nos favorece.

—¿Tú crees? —musitó Teobaldo.

—Claro. Mientras siga lloviendo, Haum no se moverá, y Denis no podrá encontrarlo.

—Sí, pero nosotros tampoco.

—Pero ganamos tiempo.

Teo se encogió de hombros. Luego añadió:

—De momento, hay que pensar lo que diremos al profesor.

—No te preocupes —repuso Sergio—. Ya lo he pensado.

El teléfono estaba situado en un rincón del bar. Cuando terminaron de desayunar, Sergio marcó el número y esperó.

—Buenos días, señora —dijo, una vez establecida la comunicación—. Soy Sergio... No, ayer no telefoneé. No pude establecer comunicación, debían estar todas las líneas ocupadas... Pero no pasa nada. Puede decirle al profesor que todo marcha bien...

En ese momento, Sergio cortó la conexión y colgó.

—¿Eso es todo? —comentó Teo—. ¿Así, sin más?

—Sí —respondió Sergio—. Creerá que se ha cortado la comunicación. Ocurre a veces, cuando los teléfonos no funcionan bien.

—No me parece correcto...

Sergio se encogió de hombros.

—¡Qué le vamos a hacer! No había otra solución.

Hizo una pausa y añadió:

—Ahora he de telefonear a mi padre.

Marcó el número y enseguida obtuvo comunicación. Padre e hijo entablaron una larga conversación, mientras Teo y Xolotl esperaban que terminaran de hablar, pues las explicaciones que daba Sergio eran tan veladas que no permitían deducir nada en concreto.

—Espero que su padre le entenderá —murmuró Teo.

Al cabo de un cuarto de hora, Sergio colgó.

—Vamos a arruinarnos con tanta llamada —gruñó.

Anotó una dirección en un pedazo de papel y se sentó al lado de sus amigos.

—La cosa marcha —dijo—. Tengo la información que necesitábamos. Haum emite partículas alfa...

—¿Y eso qué es? —preguntó Xolotl.

—Son diminutas partículas invisibles... núcleos de helio, exactamente. Las emite el plutonio del reactor y algunas logran atravesar el escudo de plomo. Cuando una de esas partículas encuentra un átomo de carbono, éste se vuelve radiactivo...

—¿Y...?

—Muy sencillo. La madera tiene mucho carbono. Si Haum ha permanecido sentado un buen rato en una silla o en un banco de madera, habrá acumulado radiactividad, y se podrá detectar...

—¡Un momento! —exclamó Teo—. Si no he comprendido mal, podremos saber dónde se ha sentado Haum ayer...

—Sí, pero necesitaremos un contador Geiger. Mi padre me ha dicho quién podrá prestarnos uno. Es un amigo suyo, profesor en Grenoble. Me ha dado la dirección.

—Eso está muy bien, pero, ¿de qué nos servirá saber dónde ha estado sentado Haum ayer o anteayer? —replicó Teo.

—No lo sé —dijo Sergio—. Sólo estoy seguro de una cosa: Denis debe tener un contador de esos. Así que estamos empatados...

Teo no parecía muy convencido.

—Entonces, ¿piensas ir a Grenoble? —dijo.

—Sí —repuso Sergio—. Vosotros podéis esperarme aquí.

* * *

Para Bernardo y Haum la jornada transcurrió como la precedente. El chico se puso a estudiar y el androide a empaparse otro tratado sobre el ajedrez.

—Parece ser que tus amigos se retrasan... —insinuó Bernardo una vez.

—Sí —respondió con laconismo Haum.

Bernardo ya estaba acostumbrado a esas respuestas monosilábicas. No quiso insistir, pero se preguntó cómo podría sacarle un poco más de información. Por fin, se le ocurrió algo: «Si logro hacerle tomar alguna bebida alcohólica, tal vez se le suelte la lengua... Pero tendrá que ser incolora, para que se crea que es agua...»

Propuso a Haum jugar una partida de ajedrez, de la que salió vergonzosamente derrotado, y luego encendió el televisor y dijo:

—Voy a tomar algo. ¿Quieres que te traiga un vaso de agua?

—Sí, gracias —respondió el androide.

Bernardo se levantó, fue a la cocina y llenó un vaso de agua, para él, y otro con ginebra y agua, para Haum. Iba ya a salir, con ambos vasos en una bandeja, cuando pensó: «¿Y si coge el vaso de agua? No puedo decirle que no...»

Vaciló un poco, reflexionó y luego vació el vaso de agua y repartió la ginebra que había en el otro entre los dos. «Así no habrá problema», musitó.

Bernardo no había bebido nunca ginebra y no sabía lo fuerte que era, así que no creía estar haciendo nada malo. «Será» se dijo «como un reto: a ver quién se achispa antes...»

Colocó la botella de ginebra en su sitio y volvió al cuarto de estar. Puso la bandeja con los dos vasos en una mesita auxiliar y se sentó en un sillón.

—Gracias —dijo Haum.

El androide agarró un vaso y lo mantuvo unos

instantes junto a su boca, sin decidirse a beber. «¡Horror!», pensó Bernardo. «Debe haber notado el olor...»

Pero no era así. Aunque Bernardo no lo sabía, Haum no podía oler, porque carecía de olfato. No bebía porque no tenía prisa, simplemente.

El muchacho, inquieto, no le dejaba de mirar. Transcurrieron unos segundos hasta que, por fin, el robot se llevó el vaso a los labios y se bebió todo el contenido de un trago, como si fuese agua.

Bernardo, para no ser menos, hizo lo mismo, pero enseguida se arrepintió, pues sintió como si hubiera echado plomo derretido a su garganta y a su estómago. Congestionado, se levantó y apagó el televisor.

—¡Qué aburrimiento! —dijo con voz ronca—.

¿No te importa que lo quite?

—No.

Bernardo se sentó en otro sillón, más cerca de Haum. Había pensado con calma en lo que iba a preguntarle y estaba decidido a seguir el plan, así que, con tono intimista, insinuó:

—Oye, Haum, ya somos amigos... Cuéntame... ¿Eres de verdad un vietnamita?

—Sí —respondió Haum sin vacilar—. He nacido en Phan-Thiêt, pero me trajeron a Francia cuando era muy pequeño...

Era exactamente la misma respuesta que le había dado en otras ocasiones. ¿Por qué repetía siempre lo mismo, palabra por palabra?

Bernardo estaba cada vez más confundido. Empezaba a sentir los efectos del alcohol, que no eran desagradables, aunque sentía un calorcillo.

—¿Por qué no me cuentas algo más? —musitó.

—¿Qué quieres saber?

—Bueno, no sé... Lo que tú quieras contarme...

Bernardo se echó a reír, sin ton ni son. Le parecía sumamente graciosa aquella situación...

—Pregúntame lo que quieras —dijo Haum.

Bernardo volvió a reír. Le parecía que en el sillón donde estaba sentado Haum había dos, dos Haums desdibujados, borrosos...

—No has nacido en la Tierra, ¿verdad? —barbotó—. Eres un extratre... extratre... extraterreste... ¿verdad?... ¿De qué planeta vienes?

Mientras hablaba, Bernardo no dejaba de pensar: «Tiene gracia... No era mi plan interrogarle así... ¿Por qué lo hago?

Trató de ver más claramente a Haum, entornando los ojos, pero no lo consiguió. Le parecía que su propio sillón bailaba y que él flotaba en el aire...

—Pregúntame lo que quieras —repitió Haum.

—Pe... pero... si te acabo de preguntar...

Haum permanecía inmutable. El alcohol no había afectado en absoluto a los microcircuitos de su cerebro. Eliminaría sin problemas el que había bebido, poco a poco, mediante su sistema de transpiración.

Bernardo ya había olvidado lo que quería preguntar a Haum, que seguía sonriendo con su sonrisa número 2. «Es un tipo simpático», pensó, y trató de abrazarle, en un gesto de euforia amistosa muy propio de su estado de embriaguez, pero no lo logró. Se incorporó en su asiento y quiso ponerse en pie, pero volvió a caer en el sillón, con la habitación dando vueltas a su alrededor. Estaba lívido, desencajado...

—¿Te encuentras mal? —preguntó Haum.

—No... no.. —repuso el muchacho, tembloroso—. Sólo que he olvidado lo que... lo que te... quería preguntar.

Se sentía rarísimo. La sangre le golpeaba en las sienes y sudaba a chorros. Respiró hondo varias veces y luego hizo otro intento de ponerse en pie, pero perdió el equilibrio y se cayó de bruces.

Casi no tuvo tiempo de llegar al suelo. Haum con su destreza habitual, le recogió. El chico se sintió atrapado por dos manos vigorosas que le depositaban suavemente en el sillón. Luego, el androide le pasó ambos brazos por la espalda y volvió a preguntar:

—¿Te encuentras mal?

Bernardo no fue capaz de responder. Miraba con ojos extraviados las paredes y los muebles, que giraban a su alrededor, mientras una sonrisa bobalicona iluminaba su rostro.

—¿Te encuentras mal? —insistió Haum—. Explícame lo que te pasa... Si no me lo dices no te podré ayudar...

Haum esperó una respuesta, con su sonrisa número 2, sin dejar de sostener al muchacho, que, por fin, logró balbucir:

—Sí... me... encuentro mal... Me... me gustaría a... acostarme...

—Vale —dijo Haum.

Se inclinó sobre él y le tomó en sus brazos con delicadeza, sin esfuerzo aparente. Luego salió del salón, lo subió a su habitación y lo extendió sobre la cama con sumo cuidado.

—No... no hacía falta que... que me subieras en brazos —protestó débilmente Bernardo—. Podía haberlo hecho por mi propio pie.

—No, Bernardo —repuso Haum—. Estás enfermo.

—Sí... no... no sé lo que me pasa. Ha debido ser ese vaso de... de... agua que he bebido...

Se agitó un poco en el lecho y balbuceó, medio adormilado:

—Tiene gracia... Quería hacerle hablar y he sido yo el que...

Bostezó, cerró los ojos y se quedó dormido. Haum, entonces, acercó una silla a la cabecera de la cama y se sentó en ella, dispuesto a pasar la noche allí.

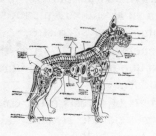

XIV

A la mañana siguiente, cuando se despertó, Bernardo dio varias vueltas en la cama y se estiró. Luego se frotó los ojos con las manos, los abrió y, enseguida, vio a Haum sentado a su lado en una silla.

—¿Qué... qué haces aquí? —barbotó.

Sin esperar respuesta, se sentó en la cama y se llevó una mano a la nuca. «¡Pufff!», se dijo a media voz. «¡Cómo me duele la cabeza!... Anoche cogí una...» Iba a decir «una mona», pero se detuvo a tiempo y murmuró: «Me puse malo, no sé lo que me pasó...»

Poco a poco fue recordando, con esfuerzo: «Quise levantarme y me caí... Tú me recogiste... ¿Y luego?»

—Te traje aquí —dijo Haum.

Sí, Bernardo recordó. Haum le había subido

111

en brazos, como si fuera un niño, y le había depositado en la cama...

—¿Y te has quedado ahí, en esa silla, toda la noche?

—Sí —repuso el robot.

Bernardo se avergonzó y desvió la mirada. «¡Y pensar que fui yo el que quiso emborracharle!... Menuda lección: ha estado velándome toda la noche... Me he portado como un canalla...»

Sí, estaba avergonzado, sin saber qué decir. Por fin, se forzó a darle las gracias al vietnamita.

—Te agradezco mucho lo que has hecho, Haum... Y te pido perdón.

* * *

Sergio había ido a Grenoble, a la dirección que su padre le había dado, y había vuelto con un detector último modelo, práctico, manejable y sencillo. Cabía perfectamente en un bolsillo y captaba incluso una radiactividad muy débil.

Mientras Bernardo se recuperaba poco a poco de la pesada e imprevista borrachera, Sergio y sus amigos empezaron a recorrer las calles de la ciudad en busca del rastro que Haum hubiese podido dejar.

—Es muy sencillo —había explicado Sergio—. Este chisme sólo puede funcionar si Haum ha permanecido más de una hora en el mismo sitio, así que recorreremos todos los lugares públicos en que se haya podido sentar... Gracias a Dios, ya no llueve.

112

A primeras horas de la tarde, habían «explorado» ya la sala de espera de la estación de ferrocarril, todos los parques públicos y algunos bares y cafés, sin ningún resultado. Ahora estaban en la terraza de un café de la calle Carnot, el mismo en que Haum y Bernardo se habían encontrado tres días antes. No habían hecho más que sentarse cuando el rostro de Sergio se iluminó.

—¡Ha pasado por aquí! —exclamó.

Y con un gesto discreto, mostró una silla muy próxima a aquella en la que estaba sentado.

Cuando se presentó una camarera —que en realidad era la patrona—, Sergio entabló conversación con ella y, cuando se la hubo ganado, comentó:

—Estamos buscando a un amigo nuestro que es vietnamita... ¿No le habrá usted visto por casualidad?

La buena mujer no dudó un solo instante.

—¡Claro que lo he visto! —exclamó—. Lo recuerdo muy bien. Estuvo aquí hace dos o tres días, a esta misma hora...

—¿Habló usted con él? —preguntó Teo.

—No —repuso la patrona—. Pero se puso a hablar con otro chico de la ciudad y luego se fueron juntos.

—¿Sabe usted cómo se llama ese chico? —volvió a preguntar Teo.

—Claro que sí. En una ciudad pequeña como ésta todo el mundo se conoce. Era un hijo del doctor Sauzet Bernardo. Bernardo Sauzet.

Sergio no salía de su asombro. ¿Cómo era

113

posible que recordara todo tan bien?... Era demasiada casualidad...

—¿Sabe usted dónde vive? —preguntó Teo de nuevo.

—Sí, al otro lado de la ciudad, bastante lejos de aquí...

La mujer les dio la dirección, sin vacilar, y añadió:

—Es curioso... No hará ni una hora que otro muchacho de vuestra edad me ha preguntado lo mismo...

* * *

Bernardo había iniciado la jornada de mal humor. Se había puesto a estudiar con desgana y, al ver que ya no llovía, empezó a obsesionarle la idea de que Haum no tardaría en marcharse, que sus misteriosos amigos se presentarían en cualquier momento y se lo llevarían sin darle la menor explicación... De vez en cuando alzaba la cabeza y decía algo, con la vaga esperanza de que Haum le revelase algo antes de irse, pero el androide respondía con monosílabos como siempre, aunque sonriendo gentilmente.

De pronto, a primeras horas de la tarde, sonó el timbre, y Bernardo se sobresaltó. ¿Serían «ellos»?

—¿Quién puede ser? —dijo en voz alta mirando a Haum—. Yo no espero a nadie... ¿Serán tus amigos tal vez?

—No sé —repuso el robot.

—Voy a ver —dijo el muchacho, poniéndose en pie—. Tú espérame aquí.

—Sí.

Al abrir la puerta, Bernardo se encontró con un chico rubio, de su misma edad. Vestía un jersey blanco y unos pantalones de franela gris, y llevaba encima una cazadora con cierre de cremallera y dos bolsillos laterales, en los que ocultaba las manos.

—Hola —dijo con calma—. Me llamo Sergio Daspremont. Busco a un vietnamita que me pertenece... Modelo normal, un metro sesenta, amable, servicial... ¿Lo has visto por casualidad? Se llama Haum.

Hablaba con una voz extraña, ronca, gutural, y se expresaba de manera muy curiosa. Bernardo sonrió.

—Está aquí —dijo sin más, apartándose un poco para que el otro pudiera pasar—. En el salón. La primera puerta a la derecha. Puedes entrar.

El chico rubio entró como Perico por su casa, sin esperar a que Bernardo terminara de cerrar la puerta, y se encaró con el robot.

—Hola, Haum. ¿Cómo te va?

Bernardo se sorprendió, aunque no lo manifestó. La voz del recién llegado ya no era ronca, ni gutural...

Haum se levantó del sillón y fue al encuentro del muchacho.

—Hola, Sergio —le saludó—. Estoy bien, gracias. ¿Y tú?

—Bien, pero he tardado mucho en encontrarte...

Bernardo, con gesto rápido, le mostró un sillón y el chico rubio se sentó, sin sacar las manos de los bolsillos de la cazadora.

—Gracias —dijo—, pero sólo voy a estar un momento... Tenemos que largarnos zumbando...

Bernardo se estremeció. La voz del muchacho volvía a ser ronca y gutural... ¿Qué era aquello?...

En ese momento, el perro se acercó y olisqueó las piernas del visitante. Intrigado, Bernardo no dijo nada, pero pensó: «¿Será un extraterrestre también?» Pero Rogg no se alteró; no le mostró los dientes, ni gruñó... Entonces, Bernardo se arriesgó:

—Hemos charlado mucho, en estos tres días... —dijo.

—¿Ah, sí?

Lo dijo con nerviosismo, inquieto, como temeroso de que Haum hubiese hablado demasiado. El androide, por su parte, seguía sonriendo con la sonrisa número 2 y su calma contrastaba con la inquietud del otro. «Algo ocultan, los dos...», pensó Bernardo. Iba a hablar otra vez, para incordiar un poco más al recién llegado, pero no tuvo tiempo. Volvió a sonar el timbre de la puerta —un timbrazo largo y sostenido— y el visitante dio un salto en su asiento, sin poderlo evitar.

—Voy a ver quién es —explicó Bernardo.

Se levantó, salió de la habitación y cerró la puerta tras él. Se detuvo unos instantes en el ves-

tíbulo intrigado. «¿Será otro de los amigos de Haum?», se dijo. «Pero, ¿por qué iban a venir uno a uno?» Por fin se decidió y abrió la puerta.

Inmediatamente pensó que se había vuelto loco, porque el chico que estaba en el umbral era como el otro —rubio, de la misma estatura— y vestía exactamente igual. La única diferencia era que no llevaba las manos en los bolsillos...

—Buenos días —dijo el desconocido—. Me llamo Sergio Daspremont y...

—¡Otro! —exclamó con voz ahogada Bernardo—. Y van dos...

El segundo chico rubio no mostró la menor extrañeza ante esta reacción.

—Sí —dijo—, ya sé. Pero yo soy el auténtico. Y lo puedo probar.

Extrajo de un bolsillo su carnet de identidad y se lo mostró a Bernardo. Luego añadió:

—¿Convencido?

—Bueno... yo... Sí. Pero entonces, ¿ese otro quién es? ¿Un hermano tuyo tal vez?

—No, yo no tengo ningún hermano, pero si lo tuviera, no querría que fuese como ése...

Se encogió de hombros y añadió:

—Si quieres saber quién es, pregúntaselo. Es él quien debe decírtelo, no yo. Y se ha hecho teñir el pelo, por si eso te interesa...

Su voz era clara y firme, y su actitud franca y directa. Bernardo no dudó ya más: estaba seguro de encontrarse frente al verdadero Sergio... Este, adivinando lo que Bernardo estaba pensando, se aprovechó:

—No querría molestarte —dijo—, pero debo encontrar a Haum. ¿Está todavía aquí?

—Sí.

—¿Podría hablar con él?

—Claro...

Bernardo se apartó un poco para dejar paso a Sergio, mostrándole al mismo tiempo la puerta del salón.

—Entra —musitó.

Entraron los dos, pues Bernardo no quería perderse aquel encuentro. La reacción de Denis se redujo a una leve crispación en la cara, casi imperceptible, seguida de una expresión de rudeza y resolución. «Estos dos se conocen», pensó Bernardo, «y se andaban buscando...»

La sorpresa de Haum fue inenarrable. Sus ojos iban de un Sergio a otro, sin parar, y había perdido su sonrisa habitual. Bernardo también los miraba alternativamente, tratando de comprender. Indudablemente no eran hermanos, no; se notaba enseguida si se les miraba con atención. Sólo el pelo era parecido, y las prendas que llevaban, pero el resto no. Ni el corte de cara, ni la actitud, ni la voz... Entonces, ¿por qué vestían igual?

—Hola, Haum —dijo Sergio—. ¿Qué tal estás?

El androide no respondió. Se quedó mirando a Sergio, paralizado de estupor. Denis aprovechó el silencio para contraatacar.

—¡Qué bonito! —dijo con ironía—. ¿Te han dejado venir solito, eh?... A buscar tu juguetito, ¿verdad?

—No he venido solo —respondió Sergio—. Mis amigos esperan fuera. No está bien presentarse sin invitación, como otros...

—¡Déjate de estupideces! Como si eso tuviera importancia... Ahora lo que hay que ver es quién se lleva el gato al agua...

A Bernardo le sorprendió la distinta actitud de los dos muchachos, el uno tranquilo, sosegado, y el otro agresivo y nervioso. Sergio esperó que Denis prosiguiera hablando, pero como no lo hizo, dijo:

—Te será difícil, si no sacas las manos de los bolsillos...

—Yo meto mis manos donde me da la gana...

—Pero no eres capaz de sacarlas...

—¡Olvídame!

Mientras hablaba, Sergio no había cesado de

acercarse a Haum, para que este le viera bien. Denis, por su parte, seguía sin sacar las manos de los bolsillos.

Bernardo no comprendía el extraño juego de los muchachos, pero intuía que terminaría pronto.

—Escúchame, Haum —dijo imperioso Denis—...

Bernardo se estremeció. Denis había abierto la boca y movía los labios, pero quien hablaba era el otro, el verdadero Sergio, eso estaba claro...

—Es a mí a quien tienes que obedecer —prosiguió diciendo—, y a nadie más. Ahora vas a venir conmigo...

La voz se interrumpió de pronto. Sergio acababa de dar un golpe seco en la mano derecha de Denis y Bernardo comprendió: si quería que Haum le obedeciese, el falso Sergio tenía que parecerse en todo al verdadero, ir vestido como él y hablar con su misma voz... El falso Sergio, sin duda, llevaba en el bolsillo un magnetófono...

Denis, en efecto, trató de volver a ponerlo en marcha, pero no lo logró, y Sergio se alegró. Transcurrieron unos segundos de silencio hasta que, por fin, dijo:

—Date por vencido, Denis.

—¡Ni hablar! —gritó—. He perdido el primer asalto, eso es todo. Ya veremos quién gana el próximo...

—Sí, ya lo veremos.

Se volvió hacia el androide y añadió:

—Bien, Haum, ¿has comprendido? el verdadero Sergio soy yo. ¿Vendrás conmigo?

—Sí.

Bernardo había permanecido en silencio, un tanto desconcertado. «Después de todo este lío», pensó, «estoy como antes...» ¿De dónde procedían los dos Sergios? ¿Por qué estos curiosos «hermanos enemigos» se disputaban al extraterrestre? ¿Eran como él...?

En ese momento, el androide se puso en pie, pero Bernardo trató de retenerle.

—Si quieres, puedes quedarte, Haum —dijo—. Nada te obliga a irte...

—Naturalmente —replicó Sergio—, pero tengo que llevarle a... (se paró en seco)... Bueno, tengo que llevármelo y basta. Gracias por tu hospitalidad. Has sido muy amable...

Bernardo se encogió de hombros y sonrió vagamente.

—Bueno, la verdad es que no me ha costado mucho alimentarle...

El androide iba a irse llevándose consigo su secreto y Bernardo no se resignaba a que eso sucediese. Buscó desesperadamente cómo retrasar la partida, pero no dio con la solución. Tendió vacilante la mano a Sergio para despedirse de él, pero de pronto cambió de parecer.

—Voy a acompañaros —dijo—. Si no os molesta, claro... Tengo que sacar a mi perro, Rogg.

—¡Claro que no nos molesta! —repuso Sergio enseguida—. Además, la calle es de todos... ¿Verdad, Denis?

XV

M inutos más tarde, los cuatro —Haum, Bernardo, Sergio y Denis, con Rogg a su lado— caminaban ya calle abajo. Hacía un sol espléndido y había poca gente. Unos cuantos coches estaban estacionados junto a la acera. A unos veinte o treinta metros de distancia, dos chiquillos jugaban a la pelota en la acera de enfrente: una niña de unos seis años y un niño un poco mayor.

Sergio caminaba a buen paso, seguido de Haum. Bernardo iba detrás. Denis vaciló y empezó a quedarse rezagado, pero luego reaccionó y se acercó a Bernardo. A Sergio no le hacía ninguna gracia que Bernardo le acompañara, pero no veía la manera de impedirlo, pues la calle era de todos... Lo peor era que Haum había pasado tres días en su casa y tal vez el chico hubiese descubierto algo, pues si no, no hubiese hecho alusión a lo poco que le había costado alimentarle... «Sospecha algo, seguro —pensó Sergio—, pero no sé el qué...» Decidió interrogar a Bernardo para salir de dudas, pero no tuvo tiempo. Xolotl y Teo, que rodaban por allí, cruzaron la calle para unirse al grupo. A Bernardo no le sorprendió. «Deben ser los otros amigos», pensó.

En ese mismo momento, en la acera de enfrente, a uno de los dos chiquillos se le escapó el balón, que rodó hasta el centro de la calzada. La niña, entonces, echó a correr para recogerla, sin darse cuenta de que un Citroën CX se le echaba encima.

Todo sucedió en unos segundos: Haum se lanzó sobre la chiquilla y logró atraparla en el mismo morro del automóvil, que dio un frenazo impresionante; el conductor, sin embargo, no logró evitar que el parachoques golpeara al androide, el cual cayó sobre el capó del automóvil, rebotó en el techo y luego rodó por el asfalto, sin soltar a la niña. El coche siguió deslizándose, entre un impresionante chirrido de frenos, y se detuvo unos metros más adelante.

Haum estaba tumbado boca arriba, con los ojos cerrados. No se movía, pero seguía sosteniendo a la niña entre sus brazos. La gente corrió hacia él, pero Xolotl y Teo fueron los primeros en llegar. Este apartó los brazos del androide suavemente, para liberar a la niña; la tomó en sus brazos y la llevó a la acera. Felizmente, no estaba herida.

—¿Te duele algo? —le preguntó.

La niña le miró, asustada, pero se puso de pie enseguida. No tenía ni un rasguño.

—No —dijo—. Estoy bien...

Sergio, Bernardo y Denis se manteían junto a Haum, que continuaba inmóvil, con los ojos cerrados...

—¡Haum!... ¡Haum!... ¿Me oyes?... Contesta...

El conductor había bajado del automóvil y, tras asegurarse de que la niña estaba bien, se acercó al androide.

—¿Está... muerto? —balbució.

Sergio y Denis, muy pálidos, negaron con la cabeza.

—Hay que avisar a un médico... —añadió.

—¡No! —exclamó Denis.

Sergio estuvo a punto de decir lo mismo. Si Haum estaba «muerto» o «malherido», ningún médico podría hacer nada.

—Pero es preciso que...

El conductor se detuvo. Iba a decir: «que un médico certifique su fallecimiento», pero no se atrevió.

—Que le vea un médico —dijo— o que venga una ambulancia...

Sergio y Denis se miraron. Había desaparecido toda rivalidad entre ellos y estaban decididos a colaborar. Los dos estaban pensando en el profesor Mouret: si avisaban a un médico el secreto del profesor se iría al garete...

Sergio trató de ganar tiempo.

—Creo que se ha movido... —susurró.

Miró a Denis y vio que éste abría la boca como queriendo decir algo en voz baja; vocalizó dos palabras, siempre las mismas, sin emitir sonido alguno, pero Sergio logró interpretarlas: «El dis-yun-tor... el dis-yun-tor...»

Estaba claro: el violento choque había hecho que se desconectara el interruptor que Haum tenía en la base del cráneo. Con un poco de suerte, tal vez lo pudiese conectar... Deslizó su mano derecha tras la oreja del robot y apretó ligeramente...

—Tiene que venir un médico —continuaba diciendo el conductor—. No podemos dejarle así por más tiempo. Voy a telefonear...

Con el rabillo del ojo, Sergio vio que se dirigia a una casa próxima y llamaba a la puerta. Bernardo estuvo a punto de proponerle que telefoneara dede su casa, pero comprendió enseguida que era mejor que no.

Sergio deslizaba la mano suavemente tras la oreja de Haum. La piel de buna cedía un poco bajo la presión de los dedos, pero no encontraba el disyuntor.

—Más a la izquierda —susurró Denis.

Sergio, entonces, se dio cuenta de que estaba palpando tras la oreja derecha. Cambió de posición y no tardó en encontrar el resorte, que cedía bajo sus dedos... «Ya está», pensó. Apretó con fuerza y oyó un ligero «clic». Inmediatamente, el androide abrió los ojos, miró a su alrededor y dijo:

—¿Dónde está la niña?

—Está bien, Haum, no te preocupes. Ni un rasguño...

El androide se puso en pie, con sus habituales

movimientos suaves y rápidos. Con el dorso de la mano, se quitó el polvo del vestido y se alisó el pelo.

Bernardo estaba atónito.

—¿No estás herido? —preguntó.

—No (sonrisa número 2).

—¿Ni siquiera un cardenal?

—No —repitió Haum.

El conductor del coche le había visto ponerse en pie y acudió a la carrera.

—¿No estás herido? —dijo.

—No.

—¡Pero es imposible! Creí que estabas muerto...

—No, Señor —repuso Haum amablemente—. No estoy muerto.

El conductor no salía de su asombro. Contempló largo rato a Haum, desconcertado, y luego se dirigió hacia su automóvil, que tenía un bollo impresionante en el techo y otro en el capó. El parachoques deformado y el cristal del parabrisas hecho trizas ponían de manifiesto la violencia del golpe.

—No lo entiendo —murmuró—... Aunque me alegro.

Se volvió hacia el androide y añadió:

—Admiro tu resistencia y tu valor, chico. Nunca había visto un cosa igual.

Sergio miró a Bernardo, que le sonrió con complicidad. «Seguro que sabe algo», pensó. «Espero que no diga nada...»

Denis también había comprendido que el secreto del profesor Mouret no corría peligro de ser desvelado, y respiró tranquilo.

—Tengo que telefonear —dijo, dirigiéndose a Bernardo—. ¿Podría hacerlo desde tu casa?

—Claro. No faltaría más.

—Gracias.

Denis sonrió con sonrisa enigmática, como si supiera algo que los demás ignoraban. Se volvió hacia Sergio, Teo y Xolotl y dijo:

—¿Queréis que tomemos algo juntos? La copa de la amistad recobrada, ¿vale?... Hay una tasca muy cerca, ahí en la esquina. Telefoneo y estoy con vosotros dentro de cinco minutos. ¿De acuerdo?

—Está bien —repuso Sergio.

Denis, acompañado de Bernardo, se dirigió a casa de éste, y los demás al bar. Sergio y Haum iban por delante, seguidos de Teo y Xolotl.

—No me gusta nada esto —musitó Xolotl—. Seguro que Denis está tramando algo...

—Tranquilo —dijo Teo—. Mientras Haum esté con nosotros no hay nada que temer.

Sergio tampoco las tenía todas consigo. Temía que sucediera algo desagradable, pero no sabía el qué. El cambio de actitud de Denis le parecía demasiado brusco para ser sincero...

En cuanto entraron en el bar, Sergio le preguntó a Haum lo que había hecho durante sus tres días de permanencia en Gap, pero el androide fue muy poco explícito y Sergio apenas le escuchó, pues no dejaba de pensar en Denis.

Al cabo de unos diez minutos llegó Denis, solo. Bernardo no había querido acompañarle, sin duda por discreción. El chico se sentó junto a Teo y dijo:

—He hecho dos llamadas telefónicas. Una, para encargar una caja de cartón, con un lazo rosa...

—¿Estás bromeando? —repuso Sergio.

Había comprendido de qué se trataba, pero quería tirar de la lengua a Denis... y tener tiempo de reflexionar.

—Claro —dijo Denis—. Se trata de una furgoneta con conductor.

—¿Acaso crees que vamos a dejar que te lo lleves, como en Bourg-d'Oisans?

—No, nada de eso. No soy tan lerdo. En la furgoneta iréis Haum y vosotros tres. Yo os seguiré en el velomotor.

Sergio frunció el ceño e hizo una mueca. No sabía adónde quería ir a parar Denis.

—¿Qué estás tramando? —preguntó.

—Nada en absoluto —contestó Denis—. Devolveremos a Haum al profesor. Eso es todo. Digo la verdad...

—No me fío ni un pelo.

Denis parecía divertido, aunque procuraba no manifestarlo. Había llevado la conversación a su antojo y Sergio desconfiaba de él cada vez más.

—¿No quieres saber cuál ha sido la segunda llamada? —preguntó con picardía—. ¿No te interesa?...

—Habla —dijo bruscamente Sergio.

Denis extrajo del bolsillo su pequeño magnetófono, lo colocó sobre la mesa y pulsó un botón. Enseguida, se oyó la voz de Sergio.

«Hola, profesor... Habla Sergio. Todo en orden, pero el experimento ha concluido. Haum está bien y vamos a devolvérselo. Dentro de una hora estaremos ahí».

Denis paró el magnetófono. Sergio había escuchado en silencio, desconfiando todavía. Luego, se dejó convencer.

—Está bien —dijo—, aunque eres un testarudo. Lo tenías todo bien preparado, ¿eh?... ¿Tienes muchas grabaciones como ésa?

—Unas cuantas —respondió Denis, con modestia.

Sergio se echó a reír.

—¡Eres un bribón! —exclamó—. En cuanto llegue la furgoneta, subimos y se lo llevamos al profesor. ¿Vendrás con nosotros?

—Desde luego...

* * *

Al llegar al chalé del profesor Mouret, Sergio y sus amigos vieron que Denis les esperaba, pero no estaba solo: le acompañaba su padre. Se parecían tanto que no fue preciso que el chico se lo presentara. El profesor Marcillac tenía un rostro tan vivo como su hijo y la misma fisonomía. La señora Mouret se llevó a Haum, y Denis contó al profesor lo que había hecho con toda sinceridad, sin ocultar el «rapto» de Bourg-d'Oisans. El profesor Mouret le escuchó atentamente, contrariado al principio, pero satisfecho después, sobre todo al saber cómo Haum había salvado a la niña del atropello. Cuando tomó la palabra, estaba sonriente.

—El experimento ha sido un éxito —dijo—, aunque no esperaba que ocurriese lo que ha ocurrido. Haum es muy fuerte. Podría derrotar al mismo tiempo a cuatro robustos mocetones y provocar una catástrofe si emplease mal su fuerza. Por eso quería que no os apartáseis de él...

—Tienes razón —repuso el profesor Marcillac—, pero yo quería poner a prueba su cerebro. He trabajado mucho para ponerle a punto y necesitaba comprobar que funcionaba perfectamente...

Su voz se parecía mucho a la de su hijo, pero hablaba con mayor seriedad. En pocas palabras, expuso las precauciones que había tomado para evitar que el androide metiera la pata, y concluyó:

—He querido experimentar con riesgos. Era la única manera de saber que funcionaba y se podía confiar en él. Eso es todo.

El profesor Mouret asentía de vez en cuando, con una especie de gruñido. Viendo su actitud, Sergio comprendió que no había ninguna hostilidad entre los dos sabios.

—Sí, tal vez quise tomar excesivas precauciones —dijo por fin—. Al fin y al cabo, no ha venido mal la aventura de Gap. Si no hubiese sido por Haum, esa niña... Sólo él la podía salvar.

En ese momento, Xolotl se volvió hacia Marcillac y dijo:

—Perdone, señor, tengo una duda. Si usted no sabía —porque no lo podía saber— lo que iba a pasar, ¿cómo es que Haum se lanzó casi bajo las ruedas del auto para salvarla?

—No, no lo sabía —repuso Marcillac sonriendo—. Pero había programado a Haum

132

para que fuese amable y servicial. Lo llevaba grabado en su cerebro...

—¿En su memoria permanente?

—Así es. Haum nunca olvidará que debe ayudar a quien se encuentre en apuros... Es como una especie de norma moral para él... Ocurre lo mismo con los hombres. No se puede saber cómo reaccionarán ante una determinada situación, pero se les puede educar para que sigan una norma de conducta...

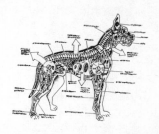

TITULOS PUBLICADOS

1. **El bosque de los castores**, de Philippe Ebly.
2. **Puertas afuera**, de Molly Gloss.
3. **El viaje de Doble-P**, de Fernando Lalana.
4. **El robot que vivía su vida**, de Philippe Ebly.
5. **La expedición del pirata**, de Jack London.
6. **Fuera de juego**, de Norbert Müller.
7. **Magallanes y Elcano, audacia sin medios**, de Isidoro Castaño.
8. **Pocachicha**, de Fernando Almena.
9. **Tim el salvaje**, de Gary L. Blackwood.
10. **Aventuras de Arturo Gordon Pym**, de Edgar Allan Poe.
11. **El rapto del dios blanco**, de Philippe Ebly.
12. **El regreso de Doble-P**, de Fernando Lalana.
13. **Cazadores de osos**, de Mayne Reid.
14. **Los días de Lina**, de Concha Castroviejo.